TGAU Daearyddiaeth ar gyfer CBAC A

Llawlyfr Adolygu

Dirk Sykes a Stacey Burton-McCabe

Addasiad Cymraeg gan Glyn Saunders Jones

Mae'r cyhoeddwyr yn ddiolchgar i'r canlynol am eu caniatâd i atgynhyrchu deunydd hawlfraint:

Hawlfraint lluniau tud.11 © Stuart Currie; **tud.19** © www.live-the-solution.com, gyda chaniatâd caredig; **tud.27** © Julien Grondin/iStockphoto.com; **tud.34** © Royalty-Free/Corbis; **tud.49** © Jon Spaull/WaterAid, gyda chaniatâd caredig; **tud.53** © Andy Owen; **tud.64** © Debbie Allen; **tud.77** © Dirk Sykes; **tud.79** © Dirk Sykes; **tud.80** © Ian Dagnall/Alamy.

Mae'r mapiau ar dudalennau **57** a **87** wedi'u hatgynhyrchu o fapiau'r Arolwg Ordnans gyda chaniatâd Rheolydd Llyfrfa Ei Mawrhydi. Cedwir pob hawl. Trwydded Rhif 1000364700.

Cydnabyddiaethau testun tud.46 Addaswyd o adroddiad *Millennium Development Goals* 2009, http://www.un.org/millenniumgoals/ © Hawlfraint Rhaglen Ddatblygu'r Cenhedloedd Unedig, 2006. Cedwir pob hawl; **tud.48** Addaswyd o adroddiad *Millennium Development Goals* 2009, http://www.un.org/millenniumgoals/ © Hawlfraint Rhaglen Ddatblygu'r Cenhedloedd Unedig, 2006. Cedwir pob hawl. **tud.49** Erthygl a'r defnydd o'r logo, http://www.oxfam.org/en/development/ghana/hygiene-education © Oxfam Rhyngwladol; **tud.56** Atgynhyrchwyd trwy ganiatâd caredig y BBC ac wedi'i ddefnyddio o wefan y BBC: http://news.bbc.co.uk/1/hi/wales/6356073.stm; **tud.80** © Cardiff Bay Development Corporation (CBDC); **tud.84** Atgynhyrchwyd trwy ganiatâd caredig y BBC ac wedi'i ddefnyddio o wefan y BBC: http://news.bbc.co.uk/1/hi/wales/7349546.stm **tud.91** Diagram wedi'i addasu o www.geographyfieldwork.com a © Barcelona Field Studies Centre.

Mae pob ymdrech wedi'i wneud i olrhain perchenogion hawlfraint. Os ydym wedi cynnwys deunydd hawlfraint heb ganiatâd yna rydym yn hapus iawn i wneud y trefniadau angenrheidiol ar y cyfle cyntaf posib.

Rydym wedi gwneud pob ymdrech i sicrhau bod cyfeiriadau gwefannau yn gywir adeg mynd i'r wasg, ond ni ellir dal Hodder Education yn gyfrifol am gynnwys unrhyw wefan a grybwyllir yn y llyfr hwn. Gall fod yn bosibl dod o hyd i dudalen we a adleolwyd trwy deipio cyfeiriad tudalen gartref gwefan yn ffenestr LIAU (URL) eich porwr.

Polisi Hachette UK yw defnyddio papur sydd yn gynhyrchion naturiol, adnewyddadwy ac ailgylchadwy o goed a dyfwyd mewn coedwigoedd cynaliadwy. Disgwylir i'r prosesau torri coed a'u gweithgynhyrchu gydymffurfio â rheoliadau amgylcheddol y wlad y mae'r cynnyrch yn tarddu ohoni.

Y fersiwn Saesneg:
© Dirk Sykes a Stacey Burton-McCabe 2010
Cyhoeddwyd gyntaf gan Hodder yn 2010
Hodder Education,
Un o gwmnïau Hachette UK
338 Euston Road
Llundain NW1 3BH
Cedwir pob hawl. Llun y clawr: G.A.P Adventures' Llong wyliau ger Ynys De Georgia gyda chriw o bengwiniaid (*Aptenodytes patagonicus*), © Martin Harvey/Corbis. Arlunwaith gan Tim Oliver, *Barking Dog Art, Oxford Designers and Illustrators* a *DC Graphic Design Ltd.*

Y fersiwn Cymraeg:
© Addasiad Cymraeg: Atebol Cyfyngedig 2012
Addasiad Cymraeg gan Glyn Saunders Jones
Golygwyd gan Eirian Jones, Ffion Eluned ac Irfon Jones
Dyluniwyd gan Owain Hammonds

Cyhoeddir y fersiwn Cymraeg gan:
Atebol cyfyngedig, Adeiladau'r Fagwyr, Llanfihangel Genau'r Glyn, Aberystwyth, Ceredigion SY24 5AQ

www.atebol.com

ISBN: 978-1-908574-26-8

Cynnwys

Cyflwyniad

Pam defnyddio'r llyfr yma?

Mae'r **Llawlyfr Adolygu** hwn yn cyd-fynd â'r gyfrol **TGAU Daearyddiaeth ar gyfer Manyleb A CBAC**. Mae'r llawlyfr wedi'i gynllunio i wneud yn siŵr eich bod yn cael canlyniadau gwych yn yr arholiad.

Mae'r **Llawlyfr Adolygu** yn wahanol i'r gwerslyfr gan ei fod yn cynnig gwybodaeth ychwanegol, gweithgareddau ac astudiaethau achos. Bwriad y **Llawlyfr Adolygu** yw eich helpu i lwyddo yn yr arholiad.

Mae'r llawlyfr yn rhoi'r wybodaeth hanfodol i chi. Bydd yn eich atgoffa o'r hyn yr ydych wedi'i astudio yn ystod y cwrs. Mae'n cynnwys gweithgareddau a ddylai eich helpu i ddeall y testun yn ogystal â bod yn help gyda'r adolygu. Mae'r llawlyfr yn cynnwys cyngor ar sut i astudio ac adolygu … a sut i wneud y defnydd gorau o'ch amser. Mae hefyd yn cynnwys gwybodaeth fewnol gan arholwr profiadol fydd yn eich helpu i ennill y marciau gorau posib yn yr arholiad … ac ennill gradd uwch! Mae llawer o ymgeiswyr sy'n ddaearyddwyr da, ond, dydyn nhw ddim yn llwyddo i ennill gradd sy'n adlewyrchu eu gallu gan nad ydyn nhw'n deall beth mae'r arholwr yn chwilio amdano. Bydd y llyfr hwn yn dweud yn union beth mae'r arholwr yn chwilio amdano.

Sut mae defnyddio'r llawlyfr yma?

Mae'r llawlyfr yn cynnwys elfen gref o ailadrodd. Mae hyn yn golygu eich bod yn gweithio drwy'r gwaith fel rhan o'r broses adolygu … a hynny mor ddi-boen â phosibl!

Y Pethau Pwysig

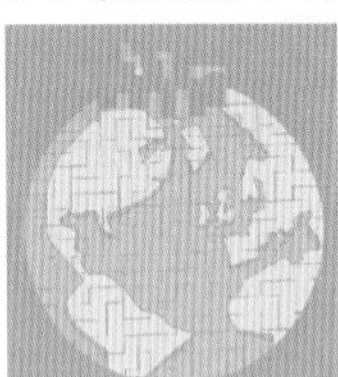

Mae'r rhan yma o'r llawlyfr yn rhoi'r wybodaeth hanfodol sydd ei hangen arnoch wrth astudio pwnc arbennig. Bydd angen i chi fynd ati wedyn i ychwanegu at y sgerbwd yma. Bydd angen i chi wneud nodiadau eich hun yn ogystal â defnyddio gwerslyfr Manyleb A CBAC. Bydd angen gwybodaeth fanwl os ydych chi am ennill marciau llawn wrth ateb cwestiynau'r arholiad.

Ewch amdani!

Mae'r gweithgareddau hyn wedi'u cynllunio i brofi eich dealltwriaeth a gwneud yn siŵr eich bod yn rhoi sylw i'r pethau sydd rhaid eu hadolygu. Os ydych chi'n gallu cwblhau'r gweithgareddau hyn ar yr ymgais gyntaf yna rydych chi'n haeddu medal! Os ydych chi'n gweld bod rhai o'r gweithgareddau yn heriol yna darllenwch y nodiadau eto a holwch eich athro/athrawes a'ch ffrindiau. Mae'n werth cofio bod ffrindiau da yn gallu bod o help mawr. Byddai'n werth ystyried adolygu gyda ffrind neu grŵp o ffrindiau. Chwiliwch am y dull adolygu sy'n eich siwtio chi.

Gwybodaeth fewnol

Mae'r adrannau yma'n rhoi enghreifftiau o gwestiynau arholiad ac atebion gan ymgeiswyr. Maen nhw'n rhoi syniad da o'r hyn mae arholwr yn chwilio amdano. Maen nhw hefyd yn dadansoddi'r cynllun marcio fel eich bod yn gallu bod yn arholwr eich hun … a gwella eich gradd!

Llifolau Arholiad

Bydd yr adrannau hyn yn eich helpu i baratoi ar gyfer yr arholiad a phenderfynu beth ydy'r ffordd orau i fynd o'i chwmpas hi. Er enghraifft, mae'n bwysig eich bod yn gwneud y defnydd gorau o'r amser. Bydd hefyd digon o gyfle i ymarfer cwestiynau arholiad yn ogystal â chynnig cyngor ar sut orau i'w hateb.

Astudiaeth Achos

Yma rydych chi'n cael sawl astudiaeth achos addas sy'n ategu'r themâu rydych wedi'u hastudio. Mae arholwyr wrth eu bodd os ydych chi'n cynnwys enghreifftiau go iawn yn eich atebion. Gan amlaf, bydd disgwyl i chi gynnwys astudiaethau achos os ydych chi am godi'r ateb i Lefel 3 y cynllun marcio.

Deall y fanyleb

Daearyddiaeth ar gyfer Manyleb A CBAC

Mae cynnwys y fanyleb wedi'i rannu'n ddwy uned sef 'Craidd' a 'Dewisol'.
Mae pob uned yn cynnwys tair thema ffisegol a thair thema ddynol.

Uned 1 – Craidd

Byddwch yn astudio 6 thopig yn y themâu ffisegol a dynol.

Uned 1 – Craidd			
A Y Byd Ffisegol	**1 Dŵr** Prosesau afon a thirffurfiau Rheoli afonydd	**2 Newid Hinsawdd** Achosion ac effeithiau Lleihau'r effeithiau	**3 Byw mewn Cylchfa Weithredol** Peryglon ar ymylon platiau Lleihau'r risg
B Byd-eang	**4 Poblogaethau Newidiol** Dosbarthiad poblogaeth y byd Newidiadau mewn dosbarthiad a strwythur yn y dyfodol	**5 Globaleiddio** Tueddiadau mewn globaleiddio Effeithiau globaleiddio	**6 Datblygiad** Mesur patrymau datblygiad Cyflawni Cyrchnodau Datblygiad y Mileniwm

Uned 2 – Dewisiadau

Bydd eich athro/athrawes yn dewis tair thema – un ffisegol, un ddynol ac un arall o'r dewisiadau isod.

Uned 2 – Dewisiadau			
A Dewisiadau Ffisegol	**7 Ein Morlin Newidiol** Prosesau a thirffurfiau arfordirol Rheoli arfordiroedd Morlinau'r dyfodol	**8 Tywydd a Hinsawdd** Patrymau hinsawdd yn y DU Peryglon tywydd Lleihau'r risg	**9 Pethau Byw** Y blaned fyw Rheolaeth Edrych i'r dyfodol
B Dewisiadau Dynol	**10 Twristiaeth** Newidiadau mewn twristiaeth Effeithiau twristiaeth Twf cynaliadwy twristiaeth	**11 Newidiadau mewn Adwerthu a Bywyd Trefol** Newidiadau yng nghanol y ddinas Newidiadau mewn patrymau adwerthu Edrych i'r dyfodol	**12 Newidiadau Economaidd a Chymru** Patrymau presennol mewn gwaith a chyflogaeth Cyflogaeth yn y dyfodol Dyfodol egni yng Nghymru

Asesu TGAU Daearyddiaeth ar gyfer Manyleb A CBAC

Mae ymgeiswyr yn gallu astudio Haen Uwch (graddau A*–D) neu Haen Sylfaenol (graddau C–G). Mae'n bosib cyfuno'r Haen Sylfaenol a'r Haen Uwch i roi eich gradd terfynol. Mae rhaniad y fanyleb i unedau yn golygu eich bod yn gallu cymryd Uned 1 yn eich blwyddyn gyntaf ac astudio unedau 2 a 3 ar ddiwedd eich cwrs. Dewis arall ydy asesu'r unedau i gyd ar ddiwedd y cwrs os ydych chi'n dymuno.

Uned 1: Craidd (40%)	Mae'r papur hwn yn 1 awr 45 munud o hyd. Mae'n cynnwys 6 chwestiwn gorfodol sy'n gofyn am ymateb i ddata – un cwestiwn o bob un o'r themâu craidd.
Uned 2: Dewisiadau (35%)	Mae'r papur hwn yn 1 awr 15 munud o hyd. Mae'n cynnwys 3 chwestiwn ymateb i ddata mewn dyfnder gydag ysgrifennu estynedig. Mae'n rhaid i fyfyrwyr ateb un cwestiwn o'r dewisiadau ffisegol, un cwestiwn o'r dewisiadau dynol ac un cwestiwn arall.
Uned 3: Ymchwiliad Daearyddol (25%)	Mae'r asesiad hwn dan reolaeth yn cynnwys gwaith maes ymchwiliol (10%) yn ogystal ag ymarfer sy'n ymwneud â'r broses benderfynu (15%).

Paratoi ar gyfer yr arholiad

LLIFOLAU **ARHOLIAD**

Os am lwyddo dyma'r pethau i'w cofio!

Cofiwch fod pob cwestiwn yn cynnwys profi gwybodaeth, dealltwriaeth a sgiliau.

Yn ystod yr arholiad dyma'r pethau sydd angen i chi eu cofio – Cofiwch y 10!

1. Darllen y cyfarwyddiadau'n fanwl.
2. Astudio'r adnoddau'n ofalus a'u defnyddio yn eich ateb.
3. Deall ystyr y geiriau gorchymyn.
4. Adnabod y geiriau allweddol a'u defnyddio i gynllunio eich ateb.
5. Ateb y cwestiwn yn llawn – cofiwch edrych faint o farciau sydd ar gyfer pob cwestiwn.
6. Ateb y cwestiwn mewn dyfnder – gwnewch un marc yn ddau farc.
7. Cynllunio atebion sydd angen mwy o waith ysgrifennu.
8. Defnyddio astudiaethau achos i enghreifftio eich ateb.
9. Defnyddio termau daearyddol allweddol.
10. Paratoi llinfapiau a diagramau i helpu gyda'r ateb.

Ewch amdani!

Ydych chi'n deall ystyr geiriau gorchymyn? Mae pob cwestiwn arholiad yn cynnwys gair neu eiriau gorchymyn. Os ydych chi am ennill marciau llawn yna mae'n rhaid i chi ddeall y geiriau yma. Mae'n rhaid deall beth sydd angen i chi ei wneud. Cysylltwch y geiriau gorchymyn yn y tabl isod gyda'r ystyr cywir.

Wedi i chi gwblhau'r gwaith mae'r atebion i'w gweld ar dudalen 96.

A	Astudiwch	**1**	Chwilio ac adnabod
B	Lleolwch	**2**	Ychwanegu nodiadau eglurhaol at fap neu ddiagram
C	Amlinellwch	**3**	Crynodeb byr
Ch	Disgrifiwch	**4**	Dywedwch wrth yr arholwr beth ydych chi'n ei weld
D	Eglurwch	**5**	Dweud sut mae'n debyg neu'n wahanol
Dd	Nodwch	**6**	Edrych yn ofalus
E	Awgrymwch	**7**	Cynnig syniad
F	Rhowch resymau	**8**	Nodi a chofnodi
Ff	Cymharwch	**9**	Dweud pam neu roi rheswm
G	Labelwch	**10**	Golygu'r un peth ac eglurwch
Ng	Anodwch	**11**	Ysgrifennu ble mae lle neu arwedd

Defnyddiwch y tabl yma i gofnodi eich atebion. Mae un wedi'i wneud yn barod ar eich cyfer.

A	B	C	Ch	D	Dd	E	F	Ff	G	Ng
6										

Adolygu effeithiol

Mae ffordd pawb o adolygu yn wahanol. Chi sydd i benderfynu beth sy'n eich siwtio chi. Dyma rai pethau sy'n werth eu hystyried:

- Ydych chi angen tawelwch i adolygu?
- Ydy cerddoriaeth o help?
- Pryd ydy'r amser gorau i adolygu? Yn y bore, gyda'r nos, cyn neu ar ôl bwyd?
- Pa mor hir ydych chi'n gallu gweithio cyn bod hi'n amser egwyl? Mae sawl un o'r farn nad ydy hi'n bosib gweithio am fwy nag 20 munud heb newid i wneud rhywbeth arall.
- Oes ystafell lle rydych chi'n gallu adolygu? Oes digon o olau naturiol yno?
- Ydych chi'n fodlon aberthu eich 'bywyd cymdeithasol' i adolygu?
- Sawl wythnos ydych chi am eu clustnodi ar gyfer adolygu? Sut ydych chi'n mynd i rannu'r amser, e.e. diwrnod cyfan ar gyfer pob pwnc, un pwnc yn y bore, un arall yn y prynhawn neu'r nos?
- Ydych chi'n hoffi adolygu gyda ffrindiau?
- Ydy'r ysgol yn cynnig dosbarthiadau adolygu?

Wedi i chi benderfynu beth ydy'r amodau gorau i adolygu'n effeithiol bydd angen i chi baratoi amserlen. Gwnewch yn siŵr eich bod yn dechrau yn ddigon cynnar. Cofiwch wobrwyo eich hunan wedi cyrraedd rhyw nod arbennig. Mae'n bwysig iawn cynnal cydbwysedd rhwng gwaith a hamdden. Cofiwch dydych chi ddim ar eich pen eich hun. Mae eich athro/athrawes, rhieni a ffrindiau i gyd ar gael i'ch helpu. Gofynnwch os ydych chi angen help.

Adolygu gweithredol

Mae adolygu yn gallu bod yn anweithredol neu'n weithredol. Adolygu anweithredol ydy darllen nodiadau. Mae'n bosib gwneud hyn am gyfnodau byr ar y tro (er enghraifft, cyn yr arholiad). Mae'r wybodaeth hon yn cael ei chadw dros gyfnod byr. Ar ôl ychydig amser mae'r meddwl yn dechrau crwydro ac mae'n anodd canolbwyntio.

Mae adolygu gweithredol yn golygu eich bod yn gwneud rhywbeth. Mae hyn yn fwy tebygol o gynnal eich sylw. Bydd hyn yn eich helpu i gofio'r ffeithiau yn fwy effeithiol. Mae hyd yn oed yn rhoi cyfle i chi wneud rhywbeth fydd o ddefnydd i chi yn nes ymlaen yn y broses adolygu.

Mae sawl dull o adolygu gweithredol yn cael eu cynnig yn y llawlyfr. Mae croeso i chi feddwl am ddulliau eraill o adolygu gweithredol. Un syniad ydy paratoi eich nodiadau byr eich hunan mewn llyfr adolygu pwrpasol. Byddai'r nodiadau yma'n cynnwys nodiadau dosbarth yn ogystal â'r gwerslyfr.

Technegau eraill sy'n gallu bod yn ddefnyddiol ydy:

- cardiau adolygu ar gyfer astudiaethau achos pwysig. Cofiwch ddefnyddio lliwiau gwahanol ar gyfer aroleuo geiriau allweddol a gwneud nodyn o achos, effaith ac ateb (*cause, effect, solution*).
- mapiau meddwl sy'n cysylltu syniadau allweddol ymhob thema. Cofiwch fod angen lluniau ar fapiau meddwl. Mae llunio lluniau syml yn ddull effeithiol o helpu'r meddwl i gadw gwybodaeth.
- olwyn wybodaeth i bob thema ar gyfer adnabod eich cryfderau a'ch gwendidau.
- cardiau gyda chwestiynau i brofi eich gwybodaeth a'ch dealltwriaeth. Gwnewch set arall o gardiau gydag atebion i gyd-fynd â'r cwestiynau.
- llyfr o ddiagramau a mapiau pwysig sydd angen eu dysgu. Cofiwch labelu ac anodi pob diagram i nodi ac egluro'r prif nodweddion.

Diwrnod yr arholiad

Ar ddiwrnod yr arholiad:

- codi'n gynnar, cymerwch awr i edrych dros eich nodiadau adolygu (defnyddiwch eich cof tymor byr)
- cofio bwyta brecwast
- cyrraedd yr ystafell arholiad gyda digon o amser wrth gefn
- gwrando ar y cyfarwyddiadau ar ddechrau'r arholiad
- cofio eich rhif personol a rhif y ganolfan arholi
- sicrhau bod offer pwrpasol ar gael (cofiwch ddod â sawl pen ysgrifennu gyda chi)
- gwneud yn siŵr eich bod yn ateb pob cwestiwn
- cofio rheolau'r gêm
- peidio byth â gadael yr ystafell arholiad cyn y diwedd. Defnyddiwch yr amser i'r eithaf.

Pob lwc!

Beth yw prosesau afon a pha dirffurfiau maen nhw'n eu creu?

Pa brosesau sy'n gysylltiedig ag afonydd?

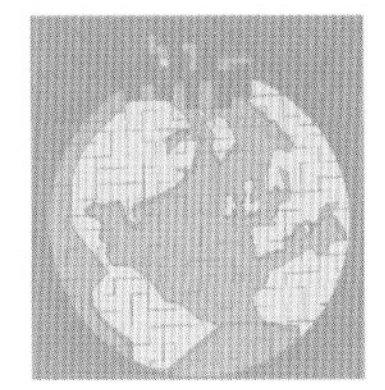

Y Pethau Pwysig

Erydiad	Cludiant	Dyddodiad
Erydiad yw treulio'r tir. Mae afonydd yn erydu mewn pedair ffordd: • **Gweithred hydrolig** – mae grym y dŵr yn golchi deunydd rhydd o wely a glannau'r afon. • **Sgrafelliad** (enw arall ar y broses ydy **cyrathiad**) – mae cerrig sy'n cael eu cludo gan y dŵr yn treulio gwely a glannau'r afon. Weithiau, mae cerrig yn cael eu dal mewn pant ar wely'r afon ac mae trobwll yn ffurfio. • **Cyrydiad** – mae mwynau fel calsiwm carbonad ($CaCo_3$) yn hydoddi yn nŵr yr afon. • **Athreuliad** – mae cerrig yn taro yn erbyn ei gilydd gan wneud y cerrig yn llai o ran maint ac yn fwy crwn.	Yr enw ar y deunydd sy'n cael ei gludo gan yr afon ydy llwyth. Mae'r llwyth yn cael ei gludo mewn pedair ffordd: • **Tyniant (rholiant)** – mae cerrig yn cael eu rholio ar hyd gwely'r afon gan rym llif y dŵr. • **Neidiant** – mae cerrig mân yn sboncio ar hyd gwely'r afon gan lif y dŵr. • **Daliant** – mae gronynnau o silt a chlai yn cael eu cludo gan lif y dŵr. • **Hydoddiant** – mae rhai mwynau yn hydoddi mewn dŵr. Mae calchfaen, er enghraifft, yn raddol hydoddi mewn dŵr.	Bydd yr afon yn gollwng ei llwyth (dyddodi) os ydy'r tir yn llai serth neu bod llai o ddŵr yn yr afon. Mae afonydd yn arafu ac yn dyddodi ar ochr fewnol ystum afon lle mae'r dŵr yn fas. Mae'r afon hefyd yn dyddodi wrth gyrraedd y môr.

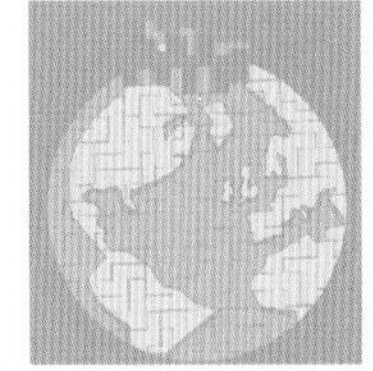

Y Pethau Pwysig

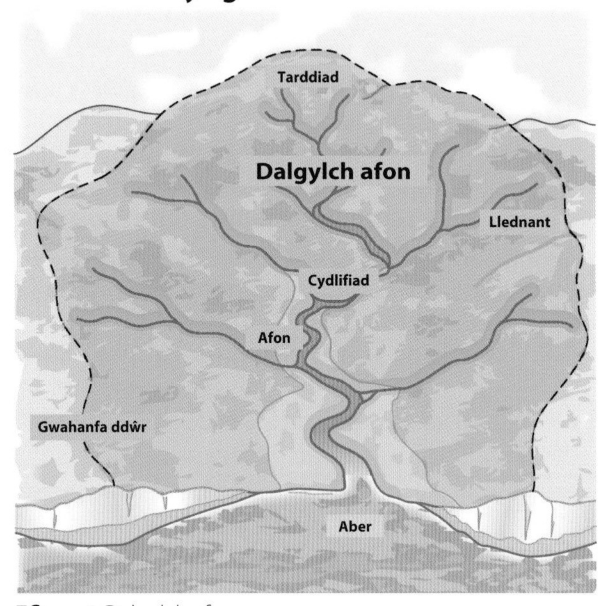

Ffigur 1 Dalgylch afon

Dalgylch afon

- **Dalgylch afon** ydy ardal o dir sy'n cael ei draenio gan un afon a'i llednentydd.
- Mae **tarddiad** afon yn y mynyddoedd.
- Mae **gwahanfa ddŵr** yn nodi'r ffin rhwng dŵr sy'n draenio i mewn i un afon a'i llednentydd.
- Mae **llednentydd** llai yn ymuno â'r brif afon wrth iddi lifo tua'r môr. Bydd yr afon yn llifo i geg neu **aber** yr afon.
- Yn ystod ei thaith, mae'r afon yn siapio'r tirwedd ac yn creu tirffurfiau gwahanol.

Pa dirffurfiau sy'n cael eu creu gan y prosesau hyn?

Dyffrynnoedd ar ffurf-V

- Yn y mynyddoedd, mae afonydd yn llifo'n gyflym ar draws llethrau serth. Maen nhw'n torri i mewn i'r tir.
- Mae erydiad fertigol a symudiad dyddodion sydd wedi'u treulio o ochrau'r dyffryn yn creu **dyffryn ar ffurf-V**.
- Mae'r afon yn dolennu rhwng **sbardunau pleth** o graig galed. Mae'r sbardunau yma yn cloi gyda'i gilydd yn dynn.

Rhaeadrau

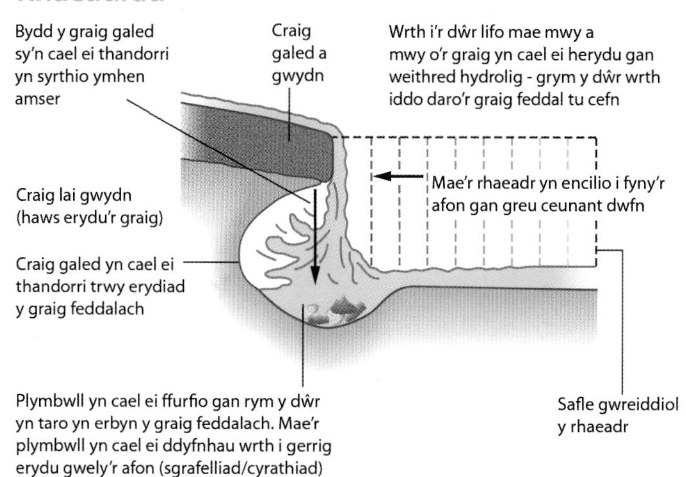

Ffigur 2 Datblygiad rhaeadr

- Os bydd craig galed gyda chraig feddalach oddi tani yna bydd **rhaeadr** yn ffurfio.
- Bydd llethr serth a **geirw** yn ffurfio os bydd craig galed sy'n anoddach i'w herydu.
- Yn y pendraw, bydd rhaeadr neu geirw yn ffurfio wrth i'r dŵr ddisgyn dros yr ymyl.

Ystumiau afon

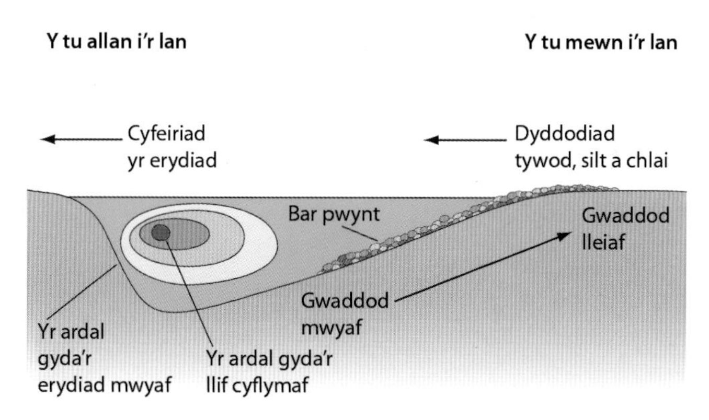

Ffigur 3 Nodweddion ystumiau afon

- **Ystum** ydy dolen afon sydd wedi'i chreu gan erydiad ochrol.
- Mae ystumiau afon i'w gweld ar dir isel sy'n agos i'r môr.
- Mae erydiad yn digwydd ar ochr allanol yr ystum. Mae'r dŵr yma'n ddyfnach ac yn llifo'n gyflymach. Mae'r afon yn dyddodi tu mewn i'r ystum. Canlyniad hyn ydy bod cwrs yr afon yn 'symud'. Mae hyn yn ffurfio llawr dyffryn gwastad – dyma'r **gorlifdir** lle mae'r afon yn gorlifo mewn cyfnodau o law trwm.

Ystumllynnoedd

- Wrth i'r afon barhau i erydu'n ochrol mae'r afon yn dolennu cymaint fel ei bod yn torri ar draws yr ystum gan ffurfio afon sythach.
- Mae dolen o'r hen afon yn cael ei gadael ar ôl – dyma'r ystumllyn.

Gorlifdiroedd

- Wrth i'r afon agosáu at geg yr afon mae'r sianel yn llydan ac yn ddwfn ac mae'r afon yn dyddodi. Mae'r dyffryn hefyd yn llydan gyda gorlifdir eang.
- Bob tro y bydd yr afon yn gorlifo mae silt yn cael ei ddyddodi ar y gorlifdir. Mae hyn yn creu priddoedd ffrwythlon.
- Mae **llifgloddiau** (*levees*) naturiol o ddyddodion neu lannau wedi'u codi ar naill ochr sianel yr afon. Mae'r llifgloddiau yn cael eu ffurfio wrth i'r dyddodion bras a thrwm gael eu dyddodi gyntaf, ger y sianel lle mae'r afon yn gorlifo.

Deltâu

- Mae **delta** i'w weld gerllaw ceg afon.
- Wrth i'r afon lifo i'r môr mae'n colli egni. Dydy'r afon ddim yn gallu cludo'r llwyth, felly mae'r llwyth yn cael ei ddyddodi. Os ydy'r dyddodion yn fwy nag mae'r môr yn gallu eu symud i ffwrdd yna mae delta yn gallu ffurfio.
- Mae deltâu yn gallu gorlifo ond maen nhw'n ffurfio tir amaethyddol ffrwythlon, e.e. Afon Nîl ac Afon Ganga.

Ewch amdani!

1 Dewiswch un tirffurf fyddech chi'n ei weld mewn dalgylch afon. Gwnewch gyfres o ddiagramau i egluro sut y cafodd y tirffurf ei ffurfio.
2 Labelwch y diagramau gyda geiriau allweddol addas.

Sut mae prosesau afon a'r tirffurfiau hyn yn effeithio ar fywydau pobl sy'n byw wrth ymyl yr afonydd?

Ewch amdani!

Mae afonydd yn gallu effeithio ar fywydau pobl. Mae'r effeithiau hyn yn cynnwys sut mae pobl yn defnyddio afonydd a sut mae afonydd yn effeithio ar eu bywydau.

1 Sut mae pobl yn effeithio ar afonydd a sut mae afonydd yn effeithio ar bobl? Faint allwch chi eu rhestru? Nodwch eich syniadau ar ddiagram pry cop, fel sy'n cael ei ddangos isod. Gallwch ychwanegu mwy o gylchoedd os bydd angen.

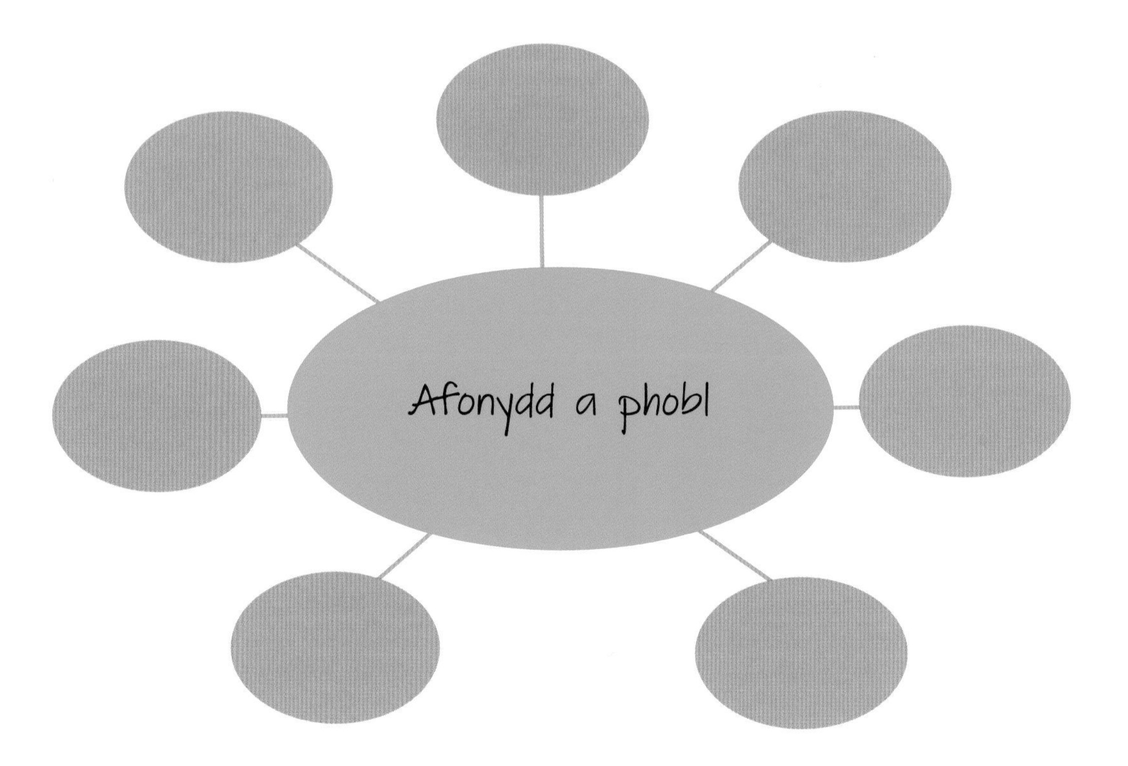

Enghraifft 1 – Twristiaeth

Astudiaeth Achos - Rhaeadr Niagara

Mae Rhaeadr Niagara yn atyniad poblogaidd iawn. Mae'n denu pobl fel gwenyn at fêl - safle pot mêl. Mae mwy na 6 miliwn o ymwelwyr yn dod bob blwyddyn i weld a chlywed 27,276m^3 o ddŵr yn rhuthro dros y rhaeadr bob eiliad. Mae gwestai a bwytai wedi'u codi'n arbennig ar gyfer ymwelwyr. Mae nifer mawr o bobl yn ennill eu bywoliaeth drwy weithio yn y diwydiant twristiaeth.

Safle pot mêl: Lle o ddiddordeb arbennig sy'n denu llawr iawn o ymwelwyr. Safle sy'n gallu bod yn brysur iawn yn ystod rhai adegau.

Ffigur 4 Rhaeadr Niagara

Ffigur 5 Llinfap o Raeadr Niagara

Ewch amdani!

1. Gwnewch gopi o Ffigur 5 yng nghanol darn o bapur. Labelwch y Rhaeadr, y gwesty, y tŷ bwyta a'r ffordd.
2. Mewn un lliw, anodwch o gwmpas y llinfap i egluro sut mae'r nodweddion hyn yn denu ymwelwyr.
3. Defnyddiwch liw gwahanol i egluro sut mae nifer yr ymwelwyr yn gallu creu problemau.

Enghraifft 2 – Gorlifo

Astudiaeth Achos – Boscastle, Cernyw 16 Awst 2004

Rhesymau dros y gorlifo

- Glawiad trwm blaenorol yn gwneud y tir yn llawn dŵr.
- Mae'r creigiau yn yr ardal yn anathraidd.
- Dros 200 mm o law mewn pedair awr o ganlyniad i stormydd yr haf.
- Y dŵr yn cyrraedd Afon Valency yn gyflym iawn oherwydd y llethrau serth a'r dyffrynnoedd cul.
- Darnau o goed yn cael eu cludo gan y dŵr. Llawer yn cael eu dal yn y pontydd gan greu argae ar draws llif y dŵr.

Effeithiau'r gorlifo

- Angen defnyddio hofrennydd i achub 100 o bobl.
- Gorlifwyd tai a chafodd 80 o geir eu cludo i'r môr gan yr afon.
- Achoswyd gwerth £300 miliwn o ddifrod.

Ewch amdani!

Edrychwch eto ar eich nodiadau sy'n trafod astudiaeth achos o orlifo mewn gwlad **Llai Economaidd Ddatblygedig (LlEDd)** fel Bangladesh. Cymharwch y rhesymau dros y gorlifo a'r effeithiau yn dilyn y gorlifo gan eu cymharu ag enghraifft Boscastle. Cofnodwch eich syniadau drwy ddefnyddio diagram fel yr un isod. Gosodwch y meini prawf yr ydych yn eu defnyddio i gymharu yn y cylchoedd i lawr canol y diagram. Gosodwch y gwahaniaethau yn y cylchoedd allanol. Ceisiwch feddwl beth ydy'r rhesymau dros y gwahaniaethau.

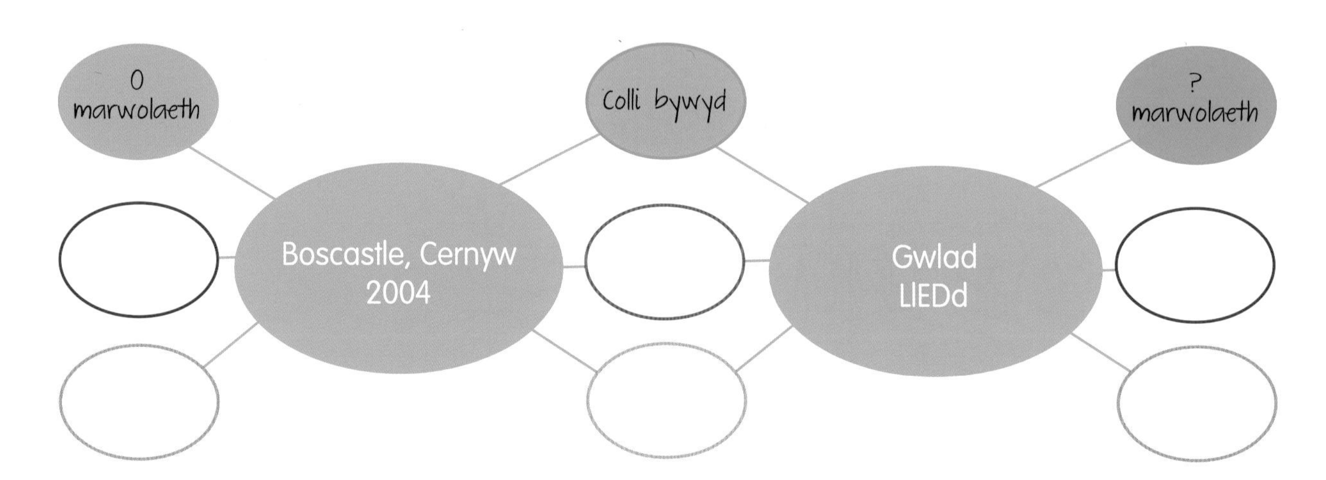

Y Pethau pwysig

Rhesymau

Mae llif yn digwydd pan fydd afon yn gorlifo ei glannau. Mae rhesymau ffisegol a dynol yn achosi llifogydd.

Ewch amdani!

1 Lluniwch restr o resymau ffisegol a rhesymau dynol sy'n achosi llifogydd.

2 Mae hydrograff llif yn edrych ar y berthynas rhwng dyodiad a llif afon. Edrychwch ar dudalen 10 yn y gwerslyfr CRAIDD i'ch atgoffa o hydrograff llif. Rhowch ddiffiniadau o bob un o'r termau a nodir yn y tabl isod. Dychmygwch fod y diffiniadau hyn yn cael eu defnyddio gan rywun sydd heb astudio'r pwnc. Oes modd symleiddio'r diffiniadau?

Nodwedd	Diffiniad
Oediad amser	
Arllwysiad brig	
Llif storm	
Llinell sy'n codi	
Llif sail	
Llinell sy'n disgyn	

Sut mae rheoli afonydd?

Pa mor llwyddiannus ydy dulliau rheoli mewn goresgyn problem llifogydd?

Rheoli

Mae dulliau gwahanol o reoli llifogydd. Mae dulliau peirianneg galed a dulliau peirianneg feddal.

Mae dulliau **peirianneg galed** yn defnyddio peiriannau neu amddiffynfeydd sy'n cael eu codi gan bobl i reoli prosesau naturiol, e.e. adeiladu argae mewn blaendir afon. Mae hyn yn creu cronfa ddŵr sy'n storio dŵr mewn cyfnodau o lawiad trwm ac sy'n rheoli llif y dŵr. Mae'n ddull effeithiol o reoli llif y dŵr. Yn aml iawn, mae'r cynlluniau hyn yn amlbwrpas gan gynnig dŵr ar gyfer hamdden neu gynllun pŵer trydan dŵr. Mae'n ddull drud o reoli ac mae hefyd yn gallu arwain at foddi tir amaethyddol da neu amharu ar ardal o harddwch arbennig.

Dulliau rheoli eraill sy'n defnyddio peirianneg galed ydy codi llifgloddiau artiffisial, sythu a dyfnhau sianel.

Mae dulliau sy'n defnyddio **peirianneg feddal** yn gweithio gyda'r amgylchedd yn hytrach na cheisio'i reoli. Mae'r dulliau hyn yn cynnwys peidio ag adeiladu mewn ardaloedd sy'n debygol o orlifo, plannu coed a 'gorlifo ecolegol'. Mae'r dull olaf yn caniatáu i'r afon orlifo mewn ardaloedd gwledig er mwyn osgoi gorlifo mewn ardaloedd trefol.

Mae'n bosib rhannu dulliau rheoli llifogydd yn ddulliau **tymor byr** neu ddulliau argyfwng fel symud pobl a defnyddio bagiau tywod, a dulliau **tymor hir** sy'n ddulliau rheoli ar gyfer osgoi problemau.

Bydd Asiantaeth yr Amgylchedd yn rhoi **rhybudd o lifogydd** i bobl os bydd angen iddyn nhw amddiffyn eu cartrefi, symud dodrefn i fyny'r grisiau neu adael yr ardal.

Ewch amdani!

Dychmygwch eich bod yn ohebydd newyddion yn dilyn y llifogydd sydd wedi digwydd yn Boscastle. Paratowch adroddiad newyddion (ni ddylai gymryd mwy na 3 munud i'w ddarllen) sy'n crynhoi'r hyn sydd wedi'i wneud yn dilyn y llifogydd yn 2004. Cofiwch gynnwys gwybodaeth am y dulliau gwahanol sydd wedi'u defnyddio i reoli'r llifogydd. Nodwch a ydyn nhw'n gynlluniau tymor byr neu'n dymor hir ac a ydyn nhw wedi bod yn llwyddiannus ai peidio.

Oes angen newid ein hagwedd at reoli afon a gorlifdir yn y dyfodol?

Gwaith cynllunwyr ydy penderfynu sut i ymateb i berygl llifogydd yn y dyfodol. Mae dadleuon rhwng dulliau peirianneg galed a pheirianneg feddal; rhagweld y broblem neu ymateb wedi'r llif.

Gwybodaeth gyfrinachol

a) Eglurwch sut mae prosesau gwahanol dros gyfnod o amser yn arwain at ffurfio ystumllynnoedd. Mae angen i chi lunio diagramau gyda labeli fel rhan o'ch ateb. [6]

Mae'r math yma o gwestiwn, sy'n werth 6 marc, yn gofyn am ateb hirach. Bydd yn cael ei farcio gan ddefnyddio cynllun marcio lefel manwl. Mae'n bwysig eich bod yn nodi'r gair gorchymyn a'r geiriau allweddol a'ch bod yn cynllunio eich ateb cyn dechrau ysgrifennu.

Y gair gorchymyn yn y cwestiwn yma ydy **eglurwch** a'r geiriau allweddol ydy **prosesau** ac **ystumllynnoedd**. Bydd y cynllun marcio lefel yn edrych ar safon gyffredinol eich ateb a ddylai edrych rhywbeth fel hyn:

Lefel	Eglurhad
Lefel 1: 1–2 farc	Ateb disgrifiadol yn bennaf gyda gwybodaeth ac eglurhad cyfyngedig.
Lefel 2: 3–4 marc	Mae'r ateb yn dangos dealltwriaeth, gyda pheth eglurhad wedi'i gysylltu â threfn gywir y newid o ystum i ystumllyn.
Lefel 3: 5–6 marc	Mae'r ateb yn dangos dealltwriaeth, eglurhad o sut mae'r prosesau sydd wedi'u henwi ac yn dangos dilyniant o afon yn dolennu i ffurfiant ystumllyn.

Mae ystumllyn yn cael ei ffurfio o ganlyniad i erydiad o lan yr afon o amgylch ystum yn yr afon. Wedi cyfnod, bydd yr afon yn torri trwy'r ddolen.

Mae'r afon yn gallu mynd dwy ffordd ond gan amlaf, os nad oes glaw trwm neu lif uchel, bydd y dŵr yn llifo i'r un cyfeiriad ag sy'n cael ei ddangos yn y diagram. Bydd yr ystumllyn yn sychu.

Erydiad - treulio'r tir gan ddyddodion sy'n cael eu cludo gan afonydd, rhewlifau, tonnau neu'r gwynt.

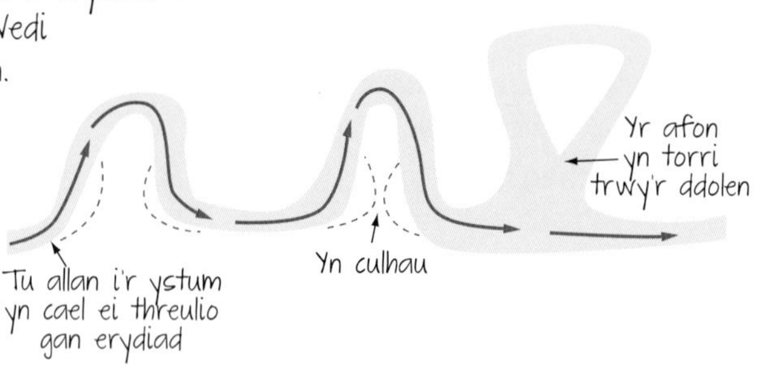

Ffigur 6 Ateb myfyriwr

Sylwadau'r arholwr

Mae'r ateb gan y myfyriwr yma yn dangos dealltwriaeth yn ogystal â disgrifiad o'r drefn gywir o sut mae ystumllyn yn cael ei ffurfio. Fodd bynnag, dydy'r ymgeisydd ddim yn nodi'r prosesau ac felly mae'r ateb yn cael ei farcio ar Lefel 2 ac yn ennill 4 marc.

LLIFOLAU **ARHOLIAD**

Dyma eich tro chi!

Ystyriwch y cynllun marcio lefel uchod cyn ceisio creu ateb fydd yn ennill marc Lefel 3 i'r cwestiynau yma:

a) Lluniwch ddiagramau gyda labeli i egluro sut mae natur y graig a phrosesau erydiad yn gallu arwain at newid lleoliad rhaeadr dros gyfnod o amser. [6]

b) Amlinellwch y mesurau y gallwch eu cymryd i leihau'r risg o orlifo. Nodwch fanteision ac anfanteision unrhyw un o'r mesurau hyn. [6]

Beth yw achosion newid hinsawdd a pha dystiolaeth sydd ar gael?

Beth yw'r effaith tŷ gwydr a sut mae pobl wedi effeithio ar y broses hon?

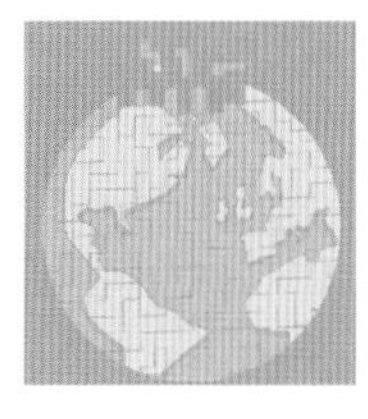

Y Pethau Pwysig

Mae **effaith tŷ gwydr** yn broses naturiol gan fod yr atmosffer yn dal gwres o'r haul. Heb y broses yma fyddai dim bywyd ar y Ddaear. Mae'n gweithio fel hyn:

- Egni solar yn cyrraedd y Ddaear fel pelydriad ton fer (golau haul).
- Mae arwyneb y Ddaear yn amsugno ac yn ailbelydru'r egni solar fel pelydriad ton hir (gwres).
- Mae nwyon tŷ gwydr gan gynnwys anwedd dŵr, carbon deuocsid, ocsid nitrus a methan yn amsugno pelydriad ton hir, sydd yn ei dro yn cynhesu haenau isaf yr atmosffer o'n cwmpas.

Mae **carbon deuocsid** yn un o'r nwyon tŷ gwydr pwysicaf. Mae'r nwy yma'n rheoli tymheredd y Ddaear.

Ewch amdani!

Y gylchred garbon

1 Tynnwch linell rhwng y geiriau sy'n perthyn i'w gilydd yn y cylchoedd.
2 Ysgrifennwch ar y llinell i egluro beth ydy'r cysylltiad rhwng y geiriau hyn a'r gylchred garbon.

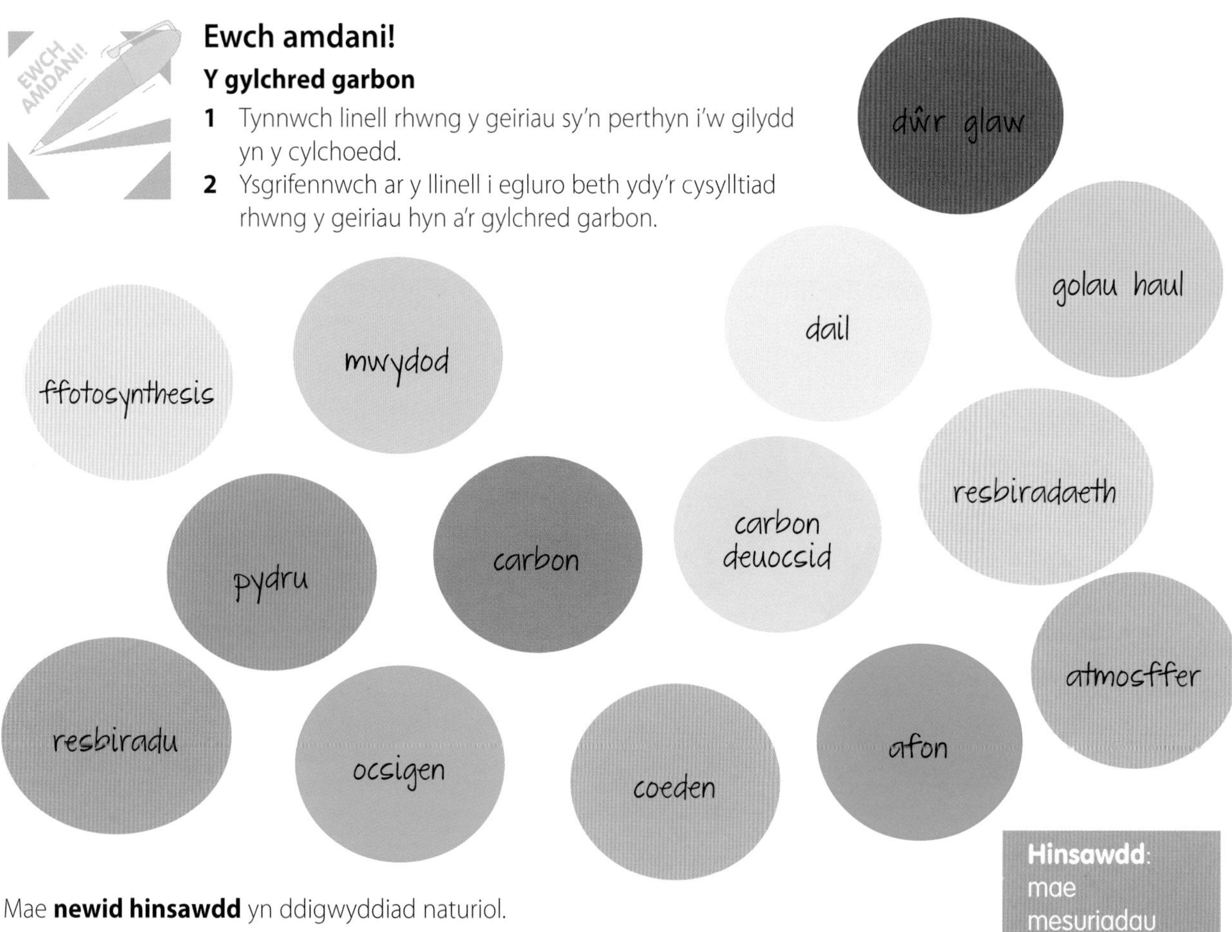

Mae **newid hinsawdd** yn ddigwyddiad naturiol.

- Mae newidiadau yn y gorffennol yng nghylchdro'r Ddaear o gwmpas yr haul wedi creu cyfnodau cynhesach ac oerach. Cafwyd oes iâ fechan yn Ewrop rhwng 1300 ac 1800.
- Nid yw pelydriad solar yn gyson. Mae gwyddonwyr wedi darganfod bod smotiau haul ar wyneb yr Haul yn achosi i dymheredd y Ddaear gynyddu.
- Yn dilyn gweithgaredd folcanig mae mwy o lwch yn yr atmosffer ac mae mwy o olau haul yn cael ei amsugno.

Fodd bynnag, mae mwy a mwy o dystiolaeth i awgrymu bod gweithgaredd pobl ar y Ddaear yn achosi i'r tymheredd godi. Y term am hyn ydy **cynhesu byd-eang**.

Hinsawdd: mae mesuriadau tywydd yn cael eu casglu dros gyfnod hir (o leiaf 30 mlynedd) cyn cyfrifo'r cyfartaledd dros y cyfnod.

Ffigur 1 Ffynonellau nwyon tŷ gwydr

Ewch amdani!

Mae nwyon tŷ gwydr yn cael eu creu yn naturiol. Mae gweithgaredd dynol, fodd bynnag, wedi arwain at gynnydd yn y nwyon hyn yn yr atmosffer. Defnyddiwch y diagram uchod yn ogystal â'r wybodaeth sydd gennych i nodi, yn y diagram pry cop/corryn, sut mae gweithgareddau pobl wedi arwain at gynnydd yn y nwyon tŷ gwydr yn yr atmosffer. Mae'r wybodaeth ar gyfer methan wedi'i nodi yn barod ar eich cyfer.

Cynhesu byd-eang: disgrifio ac egluro patrwm y cynnydd mewn tymheredd ar draws y byd.

Pa mor gadarn yw'r dystiolaeth dros newid hinsawdd?

Y Pethau Pwysig

Mae'r dystiolaeth sy'n cadarnhau cynhesu byd-eang yn sylweddol ac ar gynnydd.

- Mae tymheredd y byd ar gyfartaledd wedi cynyddu 0.6°C dros y 100 mlynedd diwethaf.
- Mae rhewlifau fel Rhewlif Rhone yn y Swistir a llenni iâ yn toddi ac yn encilio. Mae rhewlif Rhone wedi encilio 2.5 km mewn 150 o flynyddoedd.
- Mae creiddiau iâ (*ice cores*) yn llen iâ Antarctica yn dangos bod CO_2 a methan yn yr atmosffer wedi cynyddu.
- Mae cyfnodau o dywydd garw yn cynyddu, e.e. mwy o stormydd trofannol eithafol. Yn ystod y blynyddoedd diwethaf mae gwledydd Prydain wedi gweld rhai o'r cyfnodau gwlypaf, cyfnodau mwyaf gwyntog a chyfnodau mwyaf sych ers dechrau cofnodi'r tywydd.
- Mae adar, pysgod a thrychfilod sydd i'w gweld fel arfer yn Affrica bellach i'w gweld ymhellach i'r gogledd yn Ewrop.

Er bod y dystiolaeth yn sylweddol dydy pob gwyddonydd ddim yn gytûn bod cynhesu byd-eang yn deillio o weithgareddau dynol. Mae rhai yn cyfeirio at dystiolaeth creiddiau iâ yn Antarctica gan ddweud bod lefelau CO_2 wedi cynyddu a gostwng oherwydd rhesymau naturiol erioed – ond dydyn nhw byth wedi bod mor uchel â'r lefelau presennol. Mae hinsawdd y Ddaear wedi bod trwy gylchoedd naturiol gyda chyfnodau **rhewlifol** a chyfnodau **rhyngrewlifol**.

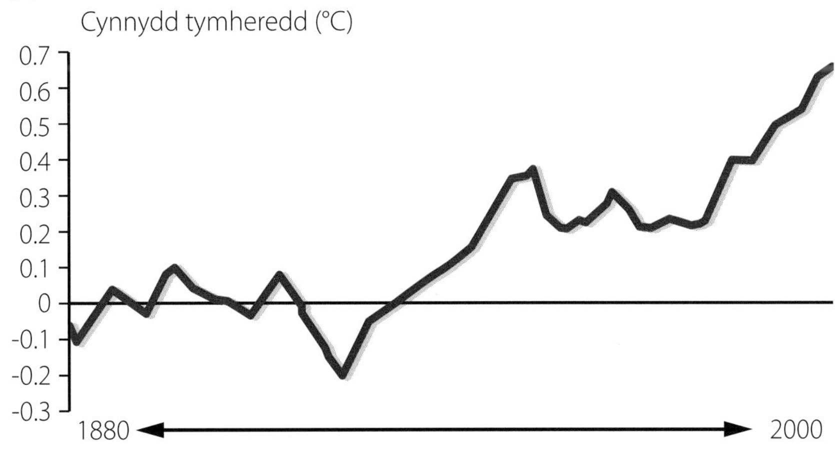

Ffigur 2 Mae'n cynhesu

Beth am y dyfodol?

Beth yw effeithiau posib newid hinsawdd ar wledydd MEDd a gwledydd LIEDd?

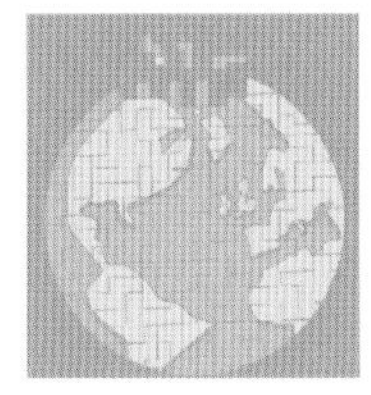

Y Pethau Pwysig

Mae canlyniadau cynhesu byd-eang yn gallu bod yn sylweddol. Mae'n bosib y bydd y newidiadau hyn yn newid y ffordd mae pobl yn byw ar y Ddaear. Dyma enghreifftiau o'r newidiadau y gallwn eu gweld:

- Lefelau môr yn codi gymaint ag 1 metr erbyn diwedd y ganrif.
- Llenni iâ a rhewlifau yn parhau i doddi.
- Ardaloedd fel Alaska a Grønland yn gallu cynnal amaethyddiaeth a bywyd.
- Tywydd eithafol fel corwyntoedd yn debygol o ddigwydd yn amlach.
- Afiechyd a phla yn gysylltiedig â thrychfilod yn debygol o ledaenu i ardaloedd sydd heb gael eu heffeithio yn y gorffennol, e.e. mosgitos sy'n lledaenu malaria yn gallu gwasgaru ar draws Affrica, Ewrop ac UDA.
- Sychder yn fwy cyffredin yn arwain at greu mwy o diroedd sych. Rhagwelir y bydd 250 miliwn o bobl Affrica yn dioddef o ddiffyg bwyd a dŵr erbyn y flwyddyn 2020.
- Gall rhai planhigion a rhywogaethau o anifeiliaid gael eu colli neu symud i rannau eraill o'r byd.

Cwblhewch y diagram pry cop/corryn i ddangos rhai effeithiau cadarnhaol cynhesu byd-eang yn y DU.

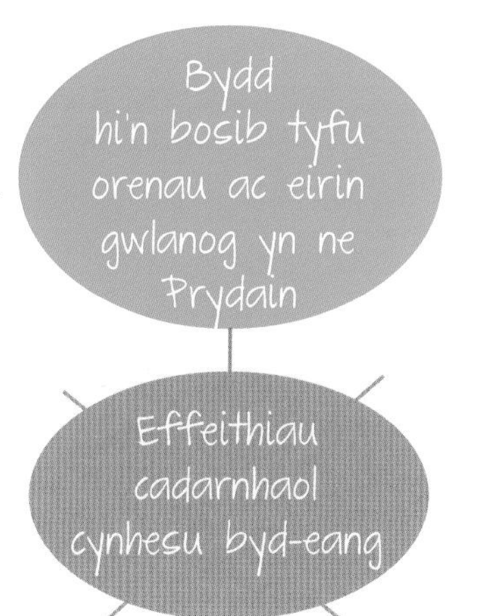

Astudiaeth Achos – Codiad yn lefel y môr

Mae'r mapiau yn Ffigurau 4 a 5 yn dangos y canlyniadau posib os byddai lefel y môr yn codi yn y DU (gwlad MEDd), ac yn Bangladesh (gwlad LIEDd).

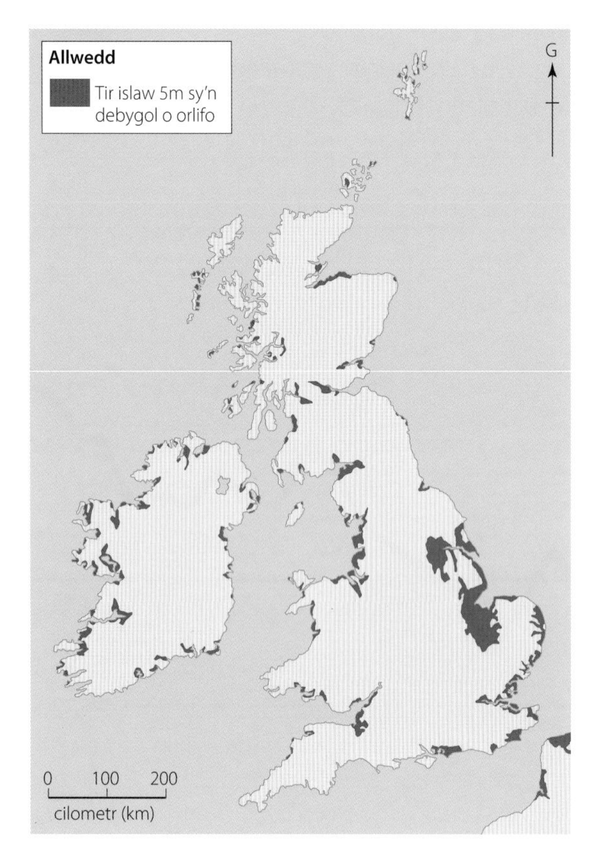

Ffigur 3 Lefel y môr yn codi yn y DU

Ffigur 4 Lefel y môr yn codi yn Bangladesh

Ewch amdani!

Dychmygwch eich bod yn ohebydd ar gyfer sianel deledu lloeren *National Geographic*. Ysgrifennwch amlinelliad o sgript i ddisgrifio canlyniadau posib cynhesu byd-eang mewn gwledydd MEDd a gwledydd LIEDd. Cofiwch y canlynol:

- Defnyddiwch y wybodaeth o'r mapiau (Ffigurau 3 a 4) i wneud eich disgrifiadau mor fanwl ag sydd bosib.
- Gwnewch yn siŵr eich bod yn disgrifio o leiaf dau ganlyniad am bob gwlad.
- Dydy'r canlyniadau hyn ddim yn cael eu dangos yn uniongyrchol ar y mapiau. Er enghraifft, fe allai fod prinder bwyd mewn rhai ardaloedd yn Bangladesh oherwydd bod tir amaethyddol wedi'i orlifo.
- Bydd angen i'ch sgript fod tua munud ar gyfer pob map.

Sut mae'n bosib defnyddio technoleg a newid ffordd o fyw pobl i leihau effeithiau newid hinsawdd?

Os ydym yn derbyn mai pobl sy'n bennaf gyfrifol am newid hinsawdd yna mae rhai'n dadlau bod angen gweithredu yn syth i leihau'r effeithiau. Gellir gwneud hynny ar lefel leol, genedlaethol neu fyd-eang.

Lleihau effeithiau cynhesu byd-eang

Yn ogystal â thrafod y **rhesymau** dros gynhesu byd-eang mae angen **lleihau effeithiau** cynhesu byd-eang. Dyma rai awgrymiadau o sut y gellir gwneud hyn:

- Amddiffyn ardaloedd arfordirol isel rhag llifogydd.
- Gwella cyflenwadau dŵr a'u defnyddio'n fwy effeithiol – yn arbennig mewn ardaloedd sy'n cael eu heffeithio gan sychder.
- Ymchwil ychwanegol i gnydau sy'n gallu gwrthsefyll sychder ac afiechydon.
- Datblygu dulliau mwy effeithiol o ragweld a pharatoi ar gyfer tywydd eithafol fel stormydd trofannol.

Astudiaeth Achos – Protocol Kyoto

Cytundeb rhyngwladol sy'n cynnwys 37 o wledydd diwydiannol y byd a'r Undeb Ewropeaidd. Mae targedau sy'n rhaid eu cadw yn cael eu gosod gyda'r bwriad o leihau nwyon tŷ gwydr. Lluniwyd Protocol Kyoto yn ninas Kyoto yn Japan ar 11 Rhagfyr 1997, gan ddod i rym ar 16 Chwefror 2005.

Ewch amdani!

Mae'r map meddwl a welir yn Ffigur 5 yn crynhoi rhai o effeithiau cynhesu byd-eang.

1. Gwnewch ddau fap meddwl ychwanegol i grynhoi effeithiau cynhesu byd-eang a'r mesuriadau sy'n bosib eu cymryd i leihau'r effeithiau.
2. Beth am lamineiddio eich map meddwl a'i ddefnyddio fel mat bwrdd ar gyfer adolygu yn ystod pob pryd bwyd!

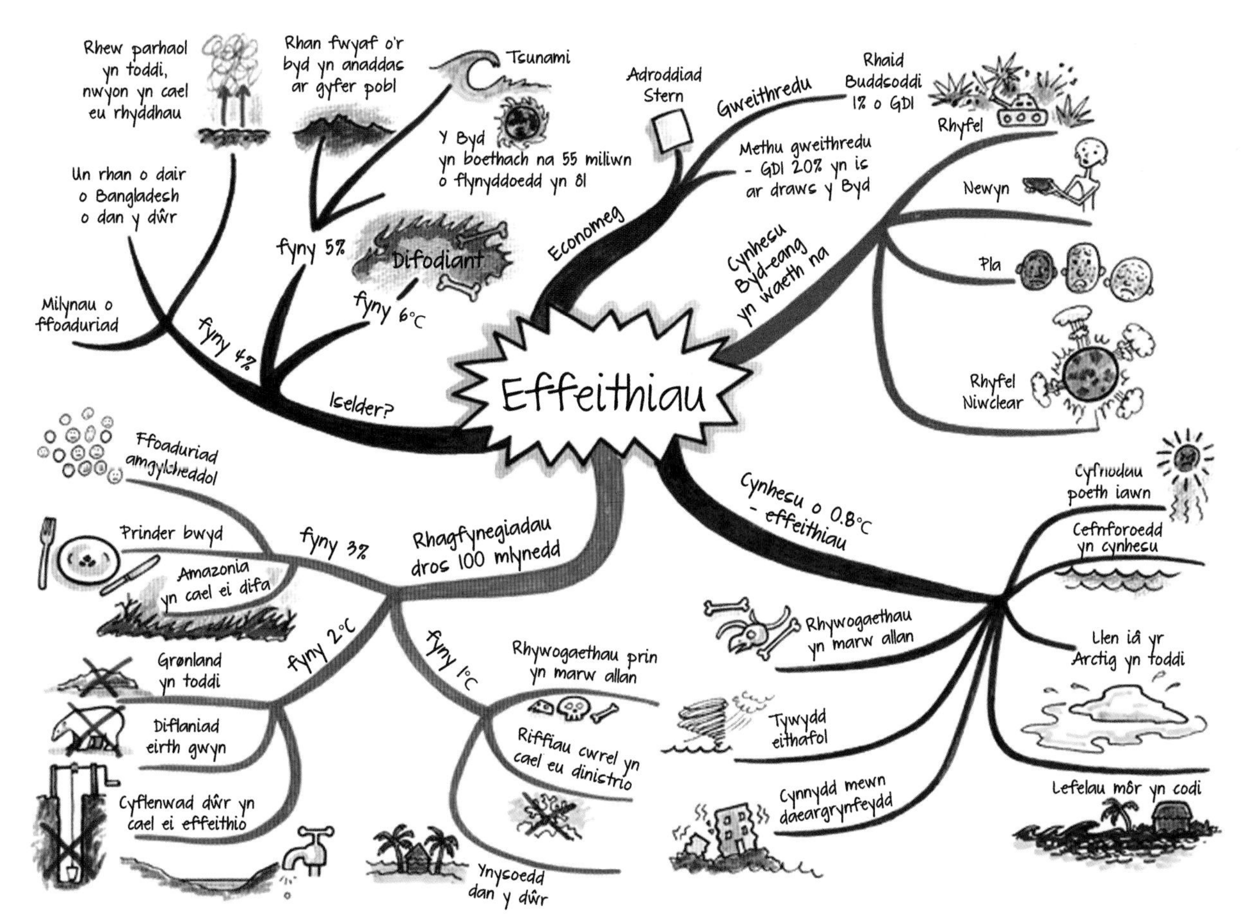

Ffigur 5 Effeithiau cynhesu byd-eang

Gwybodaeth fewnol

Mae dealltwriaeth a'r gallu i ysgrifennu atebion hirach am eich astudiaethau achos yn bwysig. Fodd bynnag, mae cwestiynau byrrach hefyd yn bwysig os ydych am lwyddo yn yr arholiad. Yn syml iawn, mae yna fwy ohonyn nhw. Yn gyffredinol, mae cwestiynau sy'n werth llai na chwe marc yn cael eu marcio drwy ddefnyddio'r **cynllun marcio 'pwyntiau'.** Byddwch yn ennill marc am bob pwynt perthnasol yr ydych yn ei wneud. Felly, ar gyfer cwestiynau byr cofiwch eich bod yn egluro'r ateb. Byddwch wedyn yn ennill marc am roi'r ateb a phwynt ychwanegol ar gyfer yr eglurhad. Wrth ateb cofiwch am y tair 'E':

- Rhowch **enghreifftiau**
- **Ehangwch** y pwyntiau sydd wedi'u gwneud
- **Eglurwch** y pwynt.

Cwestiynau

a) Beth ydy cynhesu byd-eang? [2]

b) Eglurwch un ffordd mae pobl yn gallu achosi cynhesu byd-eang. [3]

c) Disgrifiwch effeithiau cadarnhaol posib cynhesu byd-eang ar fywydau pobl ym Mhrydain. [4]

Atebion myfyrwyr

a)

Cynhesu byd-eang ydy'r ffordd mae tymereddau yn cynyddu✓ o amgylch y byd. Mae gwyddonwyr yn meddwl bod hyn o ganlyniad i bobl yn llosgi tanwydd ffosil✓ sy'n ychwanegu carbon deuocsid✓ i'r atmosffer.

b)

Mae llosgi tanwydd ffosil✓ wedi cynyddu lefelau cynhesu byd-eang. Enghraifft o hyn ydy bod pobl yn gyrru eu ceir✓ yn lle cerdded.

c)

Oherwydd cynhesu byd-eang mae tymereddau wedi cynyddu, sy'n golygu bod pobl ym Mhrydain yn cael hafau poethach✓ i'w mwynhau. Bydd gwahanol blanhigion yn gallu tyfu. Bydd Prydain gyfan yn manteisio, gan y bydd yr hinsawdd yn caniatáu tyfu pob math o gnydau, planhigion a choed. Bydd y tymor tyfu✓ ar gyfer y ffermwyr yn hirach a byddan nhw'n gallu tyfu mwy o gnydau. Bydd incwm ffermwyr yn cynyddu✓ gan y bydd ganddyn nhw fwy o gynnyrch i'w werthu.

Sylwadau'r Arholwr

a) Ateb ardderchog. Mae pwynt perthnasol yn cael ei ddilyn gan ddau bwynt o eglurhad.

b) Mae'r ateb hwn yn rhy fyr. Mae pwynt perthnasol yn cael ei ddilyn gan enghraifft, gan dderbyn dau farc.

c) Mae'r ateb hwn yn wan. Mae'r pwyntiau sy'n cael eu gwneud yn gyffredinol iawn, e.e. *'Bydd gwahanol blanhigion yn gallu tyfu'* yn niwlog a heb fod yn ddigon clir i ennill marc. Mae *'hafau poethach'* hefyd yn bwynt tila a phrin werth un marc. Mae'r pwynt am dymor tyfu hirach yn glir ac yn berthnasol ac felly'n werth marc. Mae'n ehangu ar y pwynt hwn *'Bydd incwm ffermwyr yn cynyddu'* gan ennill marc ychwanegol.

LLIFOLAU ARHOLIAD

1 Eich tro chi ydy hi rwan. Ailysgrifennwch yr atebion ar gyfer cwestiynau b) ac c) er mwyn ennill marciau llawn.

2 Astudiwch Ffigurau 7a a 7b.

i) Disgrifiwch ac eglurwch y newidiadau mewn carbon deuocsid yn yr atmosffer. [4]

ii) Cymharwch duedd carbon deuocsid yn yr atmosffer â thymereddau byd-eang ar gyfartaledd rhwng 1860 a 2000. [3]

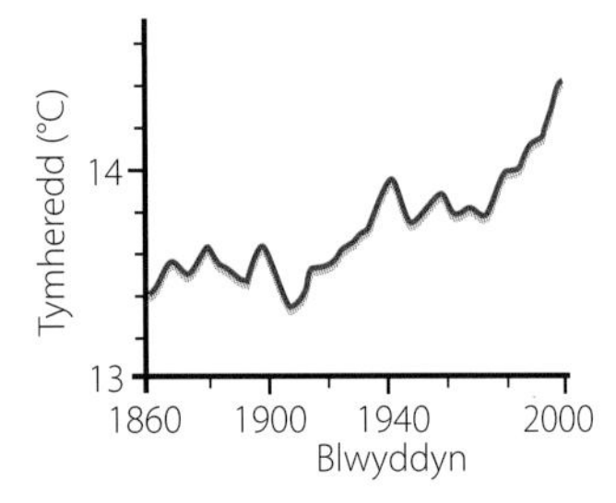

Ffigur 7a Tymereddau byd-eang ar gyfartaledd

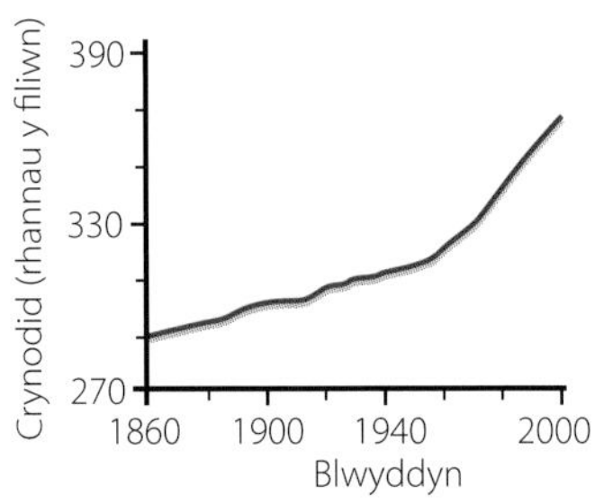

Ffigur 7b Carbon deuocsid yn yr atmosffer

Pam mae ymylon platiau yn beryglus?

Beth yw ymylon platiau? Sut mae symudiad platiau yn ffurfio tirffurfiau gwahanol?

Y Pethau Pwysig

Adeiledd y Ddaear

Platiau

- Mae pedair haen bendant i'r Ddaear (edrychwch ar Ffigur 1).
- Mae cramen gyfandirol y Ddaear yn cynnwys tir tra bod y gramen gefnforol yn cynnwys dŵr.
- Mae cramen y Ddaear wedi'i rhannu'n ddarnau enfawr sef platiau.
- Mae saith plât mawr a deuddeg plât llai.
- Mae dadfeiliad ymbelydrol yn y craidd yn achosi i wres godi a disgyn o fewn y fantell. Mae hyn yn ei dro yn creu llif darfudol, sy'n achosi i'r platiau symud. Os yw'r llif darfudol yn symud oddi wrth ei gilydd mae'r platiau yn gwahanu islaw cramen y Ddaear. Os ydy'r llifoedd yn symud tuag at ei gilydd mae'r platiau yn symud tuag at ei gilydd.
- Yr enw ar y symudiad hwn o'r platiau a'r gweithgaredd o fewn y Ddaear ydy **tectoneg platiau**.
- Lle mae dau blât yn dod at ei gilydd, dyma **ymyl** neu **ffin plât**. Mae daeargrynfeydd a llosgfynyddoedd yn fwy tebygol o ffurfio ar ymylon platiau.

Cramen greigiog
Mantell allanol
Craidd mewnol
Mantell fewnol
Craidd allanol

Ffigur 1 Adeiledd y Ddaear

Ewch amdani!

1. Disgrifiwch nodweddion yr haenau gwahanol a ddangosir yn Ffigur 1.
2. Defnyddiwch y rhestr isod i labelu'r platiau (A-Ff) a ddangosir yn Ffigur 2 isod:

   Plât y Cefnfor Tawel   Plât De America   Plât Indo-Awstralia
   Plât Gogledd America   Plât Antarctica   Plât Nasca
   Plât Ewrasia   Plât Affrica   Plât y Caribî

3. Ar gopi o'r map sydd wedi'i labelu, torrwch y platiau gyda siswrn a'u symud yn ôl cyfeiriad y symudiad naturiol, e.e. tuag at ei gilydd, heibio'i gilydd neu oddi wrth ei gilydd. Yna, gosodwch y map newydd yma gyda'i gilydd.
4. Wedi i chi osod y map yn ôl gyda'i gilydd, defnyddiwch liwiau gwahanol i ddangos a ydy ymylon y platiau yn ymylon platiau dinistriol neu'n ymylon platiau adeiladol. Edrychwch isod am fwy o wybodaeth am y gwahanol fathau o ymylon.

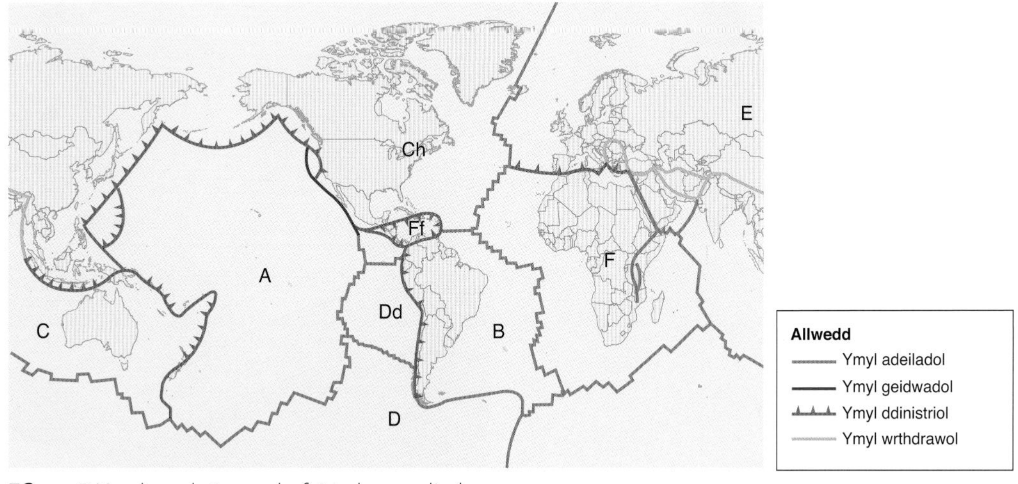

Ffigur 2 Ymylon platiau a chyfeiriad symudiadau

Ymylon platiau

Ymylon platiau dinistriol

- Dyma lle mae platiau yn gwthio at ei gilydd.
- Mae'r gramen gefnforol sydd wedi'i ffurfio o fasalt yn fwy dwys ac felly'n cael ei gwthio i lawr i'r fantell (**cylchfa dansugno**). Mae hyn yn ffurfio **ffos gefnforol**.
- Mae'r gramen gyfandirol sydd wedi'i ffurfio o wenithfaen yn cael ei chywasgu i ffurfio **mynyddoedd plyg** fel yr Andes. Wrth i'r plât cefnforol suddo, mae'n toddi ac mae'r magma sydd wedi toddi yn dod i'r wyneb gan greu **llosgfynyddoedd** tanllyd fel llosgfynydd Cotopaxi.
- Mae **daeargrynfeydd** yn digwydd pan fydd y platiau yn symud.

Ymylon platiau adeiladol

- Dyma lle mae platiau yn gwthio oddi wrth ei gilydd.
- Lle mae dau blât cefnforol yn symud oddi wrth ei gilydd, mae ffosydd cefnforol yn cael eu ffurfio. Mae llosgfynyddoedd yn cael eu ffurfio dan y môr i ffurfio cefnen gefnforol, e.e. Cefnen Canol Iwerydd.
- Lle mae dau blât cyfandirol yn gwthio oddi wrth ei gilydd mae **dyffrynnoedd hollt** yn cael eu ffurfio. Mae lafa yn codi i'r wyneb gan ffurfio **llosgfynyddoedd tarian**, e.e. Skjaldbreidur yng Ngwlad yr Iâ. Mae daeargrynfeydd bychan hefyd yn gallu digwydd yma.

Ymylon platiau ceidwadol

- Dyma lle mae platiau yn cael eu gwthio i gyfeiriadau gwahanol, e.e. Ffawt San Andreas.
- Mae'r platiau wedi'u cloi hyd nes y bydd y graig yn torri ar hyd y llinell ffawt. Mae daeargrynfeydd cryf yn digwydd pan fydd yr egni yn cael ei ryddhau.

Ewch amdani!

1 Defnyddiwch y rhestr isod i labelu Ffigur 3 a 4.

ynys folcanig | llosgfynydd ffrwydrol | ffos gefnforol | mantell | magma | mynyddoedd plyg | cramen gefnforol | cefnen gefnforol | cramen gyfandirol

2 Ewch ati i gasglu gwybodaeth am Ddyffryn Hollt Affrica. Gwnewch linfap gyda labeli i egluro sut mae'r nodwedd hon wedi cael ei ffurfio.

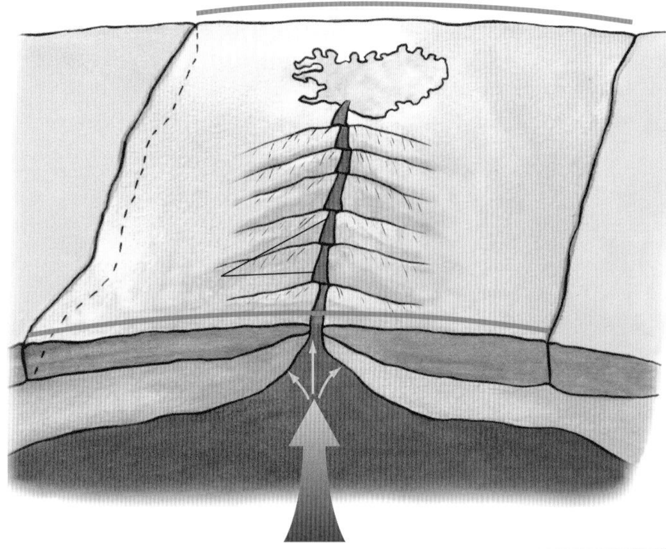

Ffigur 3 Ymyl plât adeiladol

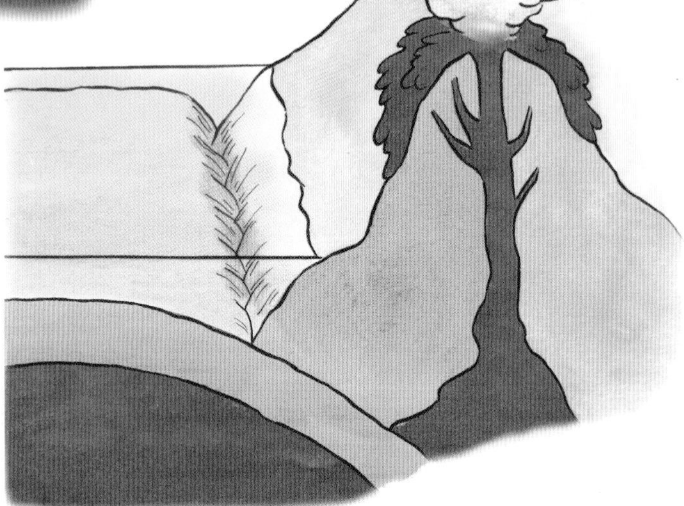

Ffigur 4 Ymyl plât dinistriol

Beth yw'r peryglon cynradd ac eilaidd sy'n gysylltiedig â chylchfaoedd daeargrynfeydd a llosgfynyddoedd?

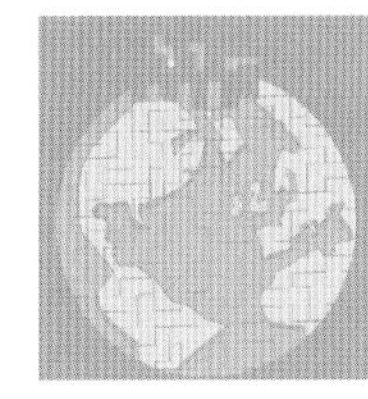

Y Pethau Pwysig

- Lle mae gwendid yng nghramen y Ddaear mae magma, nwy a dŵr yn echdorri i'r tir neu wely'r môr gan ffurfio llosgfynyddoedd.
- Mae mwyafrif o'r llosgfynyddoedd ar ymylon platiau.
- Ceir llosgfynyddoedd mewn ardaloedd lle mae'r gramen yn denau ac mae magma yn gallu cyrraedd wyneb y ddaear, e.e. Hawaii.
- Mae tri math o losgfynydd sef:
  Llosgfynydd gweithredol – llosgfynydd sydd wedi bod yn weithredol yn ddiweddar.
  Llosgfynydd cwsg – llosgfynydd sydd heb echdorri ers amser hir.
  Llosgfynydd marw – llosgfynydd sydd heb unrhyw gofnod o echdorri.
- Dull arall o ddisgrifio llosgfynyddoedd ydy yn ôl eu siâp a'u cyfansoddiad. Mae **llosgfynyddoedd tarian** i'w gweld ar ymylon platiau adeiladol ac uwchlaw 'mannau poeth' yn y Ddaear. Yma, mae'r lafa yn boeth ac yn llifo, ac yn llifo am bellter cyn caledu. Mae llif y lafa yn arafach gydag echdoriadau llosgfynyddoedd tarian. Maen nhw'n ffurfio mynyddoedd siâp côn mawr fel Mauna Loa yn Hawaii a Surtsey yng Ngwlad yr Iâ.
  Mae **llosgfynyddoedd cyfansawdd** i'w gweld ar ymylon platiau dinistriol. Yma, mae'r lafa yn asidig, yn drwchus, yn ludiog ac mae'n oeri'n gyflym. Mae ffrwydradau o ludw, lafa a darnau rhydd a ffrwydrol o lafa yn gyffredin. Maen nhw â siâp côn gydag ochrau serth fel Montserrat yn y Caribî a Mynydd St. Helens yn UDA.

Ewch amdani!

Labelwch Ffigur 5 gyda'r termau canlynol:

1. Lludw
2. Lafa
3. Agorfa
4. Siambr magma
5. Crater
6. Côn eilaidd
7. Darnau rhydd o lafa (*lava bomb*)

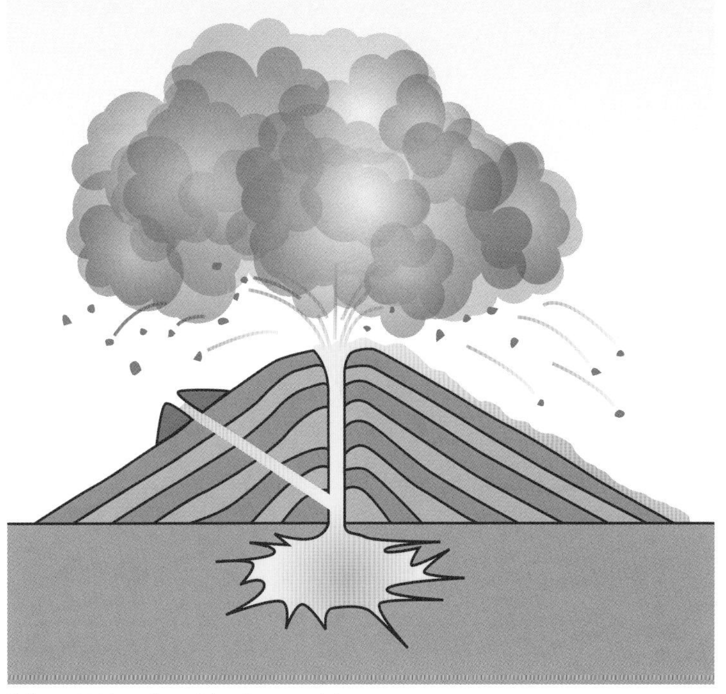

Ffigur 5 Llosgfynydd cyfansawdd

Peryglon folcanig

Perygl	Disgrifiad
Llif lafa	Llif o graig wedi toddi yn llifo i lawr ochr llosgfynydd. Mae llif basalt poeth o losgfynyddoedd tarian yn llifo'n gyflym.
Lahars	Lleidlif (*mudflow*) sy'n gymysgedd o ludw a dŵr o eira a rhew wedi toddi yn llifo'n gyflym i lawr ochr y mynydd. Mae hyn yn ei gwneud yn anodd symud pobl o'r ardal yn gyflym.
Llwch a chymylau llwch	Mae lludw yn cael ei daflu yn uchel i'r atmosffer ac yn rhwystro pelydrau'r haul rhag cyrraedd y Ddaear. Mae'r lludw yn gallu gorchuddio adeiladau a chnydau'n llwyr.
Darnau ffrwydrol o lafa	Darnau mawr o graig a lludw yn cael eu taflu i'r awyr.
Llif pyroclastig	Cymylau o nwy a lludw poeth gyda thymheredd hyd at 1000°C, yn rhuthro i lawr ochr y mynydd gan losgi pob peth yn ei ffordd.

Daeargrynfeydd

- Mae daeargryn yn ganlyniad i symudiadau yng nghramen y Ddaear. Mae'r rhain yn cael eu creu gan donnau o gryndod yn symud allan o symudiad sydyn yn ddwfn o fewn y gramen.
- Yr enw ar darddle y symudiad hwn ydy'r **canolbwynt**. Uwchlaw'r canolbwynt ar arwyneb y Ddaear mae'r **uwchganolbwynt**.
- Mae mwyafrif y daeargrynfeydd mawr yn cael eu cysylltu â symudiadau ar hyd ymylon platiau. Mae mân symudiadau fodd bynnag yn ganlyniad i linellau gwendid yn y gramen fel llinellau ffawt.
- Defnyddir **seismograff** a **Graddfa Richter** i fesur cryfder daeargrynfeydd.

Peryglon daeargrynfeydd

Mae nifer o ffactorau yn dylanwadu ar effeithiau daeargryn:

- Cryfder y daeargryn a'r pellter o'r uwchganolbwynt.
- Natur y creigiau ar yr arwyneb. Mae rhai creigiau yn 'ysgwyd' fwy na'i gilydd.
- Nifer y bobl sy'n byw mewn ardal a pha adeg o'r dydd ydy hi.
- Faint o baratoadau sydd wedi bod cyn y daeargryn? Pa mor effeithiol ydy'r gwasanaethau argyfwng?

Mae daeargryn yn y môr yn achosi ton fawr bwerus sef **tsunami**. Mae'r tonnau hyn yn teithio'n bell iawn ar draws cefnforoedd yn gyflym. Wrth i'r tonnau mawr hyn gyrraedd dŵr bas yr arfordir maen nhw'n cynyddu mewn maint. Ar 26 Rhagfyr, 2004 achosodd daeargryn oddi ar arfordir Sumatera (oedd yn mesur 9.1 ar Raddfa Richter) tsunami gyda thonnau oedd yn uwch na 30 m. Lladdwyd mwy na 200,000 a gadawyd mwy na 2 filiwn o bobl yn ddigartref mewn ardaloedd isel gerllaw'r arfordir.

Effeithiau cynradd: Dyma'r canlyniadau cyntaf, e.e. lleidlif neu tsunami.

Effeithiau eilaidd: Dyma ganlyniadau'r effeithiau cynradd, e.e. adeiladau yn disgyn, pobl yn colli eu cartrefi, y cyflenwad dŵr yn cael ei golli sy'n gallu arwain at afiechydon drwy ddŵr budr. Mae'r effeithiau eilaidd hyn yn gallu parhau am nifer o flynyddoedd.

Astudiaeth Achos – Daeargryn Sichuan yn 2008

Ffeil-o-ffaith

- Mae Sichuan yng nghanolbarth China.
- Cofnodwyd y daeargryn fel daeargryn 8.0 ar Raddfa Richter.
- Digwyddodd y daeargryn am 4 o'r gloch y bore pan oedd y rhan fwyaf o bobl yn cysgu. Roedd yr ardal hefyd yn ardal o boblogaeth uchel.
- Achoswyd y daeargryn gan symudiad Plât India yn erbyn Plât Ewrasia. Yr union symudiad hwn oedd hefyd yn gyfrifol am ffurfio'r Himalayas.

Effeithiau cynradd

- Adeiladau'n disgyn gyda miloedd o bobl wedi'u claddu dan y rwbel.
- Lladdwyd 70,000.
- Roedd 5 miliwn o bobl yn ddigartref.
- Anafwyd 374,000.
- Lladdwyd anifeiliaid a dinistriwyd cnydau.

Effeithiau eilaidd

- Roedd hi'n anodd achub pobl gan fod ffyrdd wedi'u dinistrio.
- Dinistriwyd 700 o ysgolion.
- Collwyd y cyflenwad dŵr a'r cyflenwad trydan.
- Cafwyd tannau mewn adeiladau oedd wedi'u dymchwel.

Beth oedd yr ymateb?

- Anfonwyd 50,000 o filwyr i helpu'r bobl.
- Anfonwyd cymorth rhyngwladol ac offer gan gynnwys arbenigwyr ar ddaeargrynfeydd o Japan.
- Cafodd 1.47 miliwn o bobl eu symud o'r ardaloedd a effeithiwyd fwyaf.
- Cafodd gwersylloedd dros dro eu codi a chodwyd 34,000 o bebyll.
- Lluniwyd deddfau a rheoliadau newydd gan y llywodraeth i osgoi difrod tebyg yn y dyfodol.

Mynd amdani!

Gosodwch effeithiau eilaidd peryglon folcanig a daeargrynfeydd yn eu trefn. Edrychwch ar yr effeithiau economaidd, cymdeithasol ac amgylcheddol. Gallwch gofnodi eich atebion fel sydd orau i chi, e.e. trwy ddefnyddio tabl neu liwiau gwahanol.

Pobl yn ddigartref	Pibelli nwy wedi torri	Siopau heb fwyd	Pontydd wedi'u dinistrio
Cnydau wedi'u dinistrio	Ffyrdd wedi cau	Pysgod yn marw mewn afonydd lleol	Safon y pridd yn gwella
Afiechydon	Cynnydd mewn twristiaeth	Ysgolion ar gau	Lludw yn rhwystro pelydrau'r haul
Tsunami yn taro'r arfordir	Ffatrïoedd ar gau	Dinistrio coed	

Pam mae pobl yn parhau i fyw mewn ardaloedd peryglus?

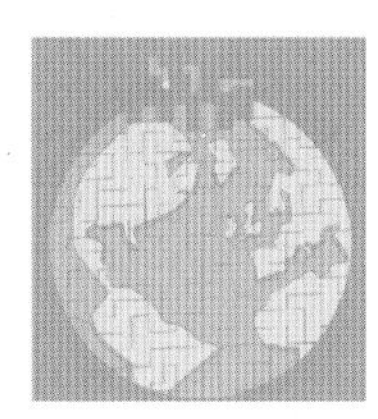

Y Pethau Pwysig

Er gwaethaf y peryglon mae tua 500 miliwn o bobl yn byw mewn ardaloedd folcanig byw. Dyma rai o'r rhesymau dros hynny:

- Mae'r tirwedd trawiadol sy'n cael ei greu gan echdoriadau folcanig yn denu ymwelwyr. Mae hyn yn dod ag incwm i'r ardal, e.e. Gwlad yr Iâ a Mynydd Etna.
- Mae'r lafa a'r lludw sy'n cael ei ddyddodi yn ystod yr echdoriad yn ffrwythloni'r pridd. Mae'r mwynau hyn yn creu pridd ffrwythlon ar gyfer amaethyddiaeth.
- Mae'r lefelau uchel o wres o fewn y Ddaear gerllaw'r llosgfynydd yn gallu cynnig cyfleoedd ar gyfer cynhyrchu egni. Dyma **egni geothermol**.
- Mae craig folcanig yn addas iawn ar gyfer adeiladu.
- Mae llawer iawn o bobl yn byw yn yr ardaloedd hyn gan eu bod wedi'u geni a'u magu yno – a dydyn nhw ddim am symud.
- Mae llawer o bobl sy'n byw mewn gwledydd Llai Economaidd Ddatblygedig yn methu fforddio symud.
- Mae digwyddiadau folcanig yn ddigwyddiadau prin sydd bron byth yn digwydd yn ystod oes person.
- Mae'r **gallu i ragweld** yn ogystal â chodi adeiladau sy'n gallu gwrthsefyll daeargrynfeydd yn gwella drwy'r amser.

Astudiaeth Achos – Montserrat

Ffeil-o-ffaith

- Ynys ym Môr y Caribî ydy Montserrat gyda phoblogaeth o 11,000.
- Digwyddodd y prif echdoriadau rhwng 1995 ac 1997 ac maen nhw'n parhau.
- Mae Montserrat ar ymylon plât dinistriol Gogledd America a phlât y Caribî.

Effeithiau cynradd

- Lladdwyd 23 o bobl.
- Llosgwyd adeiladau a choed gan lif pyroclastig.
- Llosgwyd dwy ran o dair o'r ynys gan ludw.
- Dinistriwyd 60% o'r tai yn y brifddinas, Plymouth.
- Gorchuddiwyd y maes awyr gan ludw a chafodd ffyrdd eu dinistrio.

Effeithiau eilaidd

- Cafodd ysbytai ac ysgolion eu cau.
- Gorchuddiwyd y caeau gan ludw gan wneud ffermio yn amhosibl.
- Dinistriwyd riffiau cwrel gan ludw oedd yn cael ei gludo allan i'r môr.

Beth oedd yr ymateb?

- Nid oedd cynlluniau yn eu lle gan y llywodraeth. Nid oedd y llosgfynydd wedi echdorri ers 400 mlynedd.
- Symudwyd pobl i ran ogleddol yr ynys.
- Symudodd 8,000 o bobl yr ynys i wledydd Prydain neu ynysoedd cyfagos fel ffoaduriaid.
- Rhoddwyd £55 miliwn mewn cymorth gan wledydd Prydain (hyd at 2010).
- Prin iawn ydy'r tir sydd wedi'i adennill yn y de.
- Nid oes neb yn byw yn Plymouth.
- Mae twristiaeth yn tyfu'n raddol – mae'r llosgfynydd erbyn hyn yn atyniad i ymwelwyr.

Ewch amdani!

Wedi astudio astudiaeth achos benodol ewch ati i baratoi cerdyn astudio ar gyfer yr astudiaeth. Bydd y cerdyn astudio tua maint A5 neu lai a bydd yn cynnwys y pethau pwysig. Bydd y wybodaeth hon yn cynnwys testun ysgrifenedig yn ogystal â lluniau neu ddiagramau pwrpasol gyda ffeithiau a ffigurau. Mae paratoi cerdyn gweladwy fel hyn yn eich helpu chi i gofio. Gallwch ddefnyddio'r isod fel patrwm:

Enw'r astudiaeth achos

Uned/Topig y mae'n perthyn iddo

Gwlad Llai Economaidd Ddatblygedig neu Wlad Mwy Economaidd Ddatblygedig?

Lleoliad a map lleoliad

Rhesymau dros yr astudiaeth achos

Effeithiau'r astudiaeth achos, yn cynnwys effeithiau cynradd, effeithiau tymor byr a thymor hir, lleol, cenedlaethol a byd-eang, amgylcheddol, cymdeithasol ac economaidd

Canlyniadau neu atebion i'r astudiaeth achos

Mae angen gallu cynnwys y wybodaeth i gyd ar un cerdyn. Cofiwch gadw'r cardiau hyn yn ddiogel fel y gallwch eu defnyddio i adolygu cyn yr arholiad.

Sut mae lleihau peryglon llosgfynyddoedd a daeargrynfeydd?

Dydy hi ddim yn bosib rhwystro echdoriadau folcanig na daeargrynfeydd. Mae dau ddewis arall i reoli'r peryglon sef rhagweld a pharatoi.

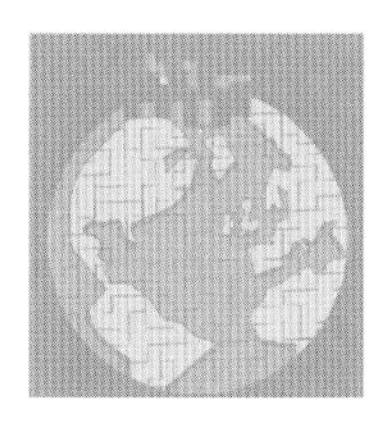

Y Pethau Pwysig

Rhagweld echdoriadau

Mae pobl sy'n astudio llosgfynyddoedd yn defnyddio technegau gwahanol i ragweld echdoriad:

- **Synhwyro o bell** – lloerennau yn monitro tymheredd ac allyriadau nwy o'r llosgfynydd.
- **Seismograff** – sy'n mesur y cynnydd mewn gweithgaredd tectonig sy'n digwydd cyn echdoriad.
- **Mesurydd gogwydd** – sy'n mesur newidiadau yn siâp y llosgfynydd wrth iddo lenwi â magma.
- **Allyriadau nwy** – yn dangos bod mwy o berygl ffrwydrad.
- **Uwchsain** – sy'n cael ei ddefnyddio i fesur symudiadau yn y magma.

Ffigur 6 Lafa wedi toddi yn llifo i lawr ochr llosgfynydd sy'n echdorri

Paratoi ar gyfer echdoriadau

Mae angen cynllun manwl ar gyfer delio ag echdoriad posibl. Bydd rhaid ystyried yr elfennau canlynol:

- Creu **ardal wahardd** o gwmpas y llosgfynydd.
- Awdurdodau yn barod ac yn abl i symud pobl o'u tai.
- Cyflenwad digonol o anghenion sylfaenol fel bwyd ar gael.
- Rhwydwaith cyfathrebu effeithiol yn ei lle.
- Rhannu gwybodaeth â phawb sy'n debygol o gael eu heffeithio.

Rhagweld daeargrynfeydd

Dydy hi ddim mor hawdd rhagweld daeargrynfeydd. Ond, mae rhai technegau ar gyfer monitro:

- Defnyddio pelydrau laser i ganfod **symudiad platiau**.
- Defnyddir seismograff i fesur dirgryniadau yng nghramen y Ddaear. Mae cynnydd mewn dirgryniadau yn gallu dangos daeargryn.
- Mae **nwy radon** yn dianc o holltau yng nghramen y Ddaear cyn y daeargryn. Mae'n bosibl mesur a monitro lefelau radon – mae cynnydd yn y lefel yn awgrymu daeargryn.

Paratoi ar gyfer daeargryn

Dydy'r technegau rhagweld daeargryn ddim yn hollol ddibynadwy, felly mae paratoi yn hanfodol:

- Mae angen i bobl sy'n byw mewn ardaloedd sy'n dioddef o ddaeargrynfeydd wybod yn union beth i'w wneud mewn daeargryn. Gall hyn gynnwys hyfforddiant ar gyfer delio â daeargryn a chynnig gwybodaeth ar y radio a'r teledu.
- Mae pobl yn gallu cael cit argyfwng yn eu cartrefi'n barod. Mae'r cit yn gallu cynnwys eitemau Cymorth Cyntaf, blancedi a bwyd tun.
- Mewn dinasoedd mawr mae mwy o adeiladau bellach yn cael eu hadeiladu sy'n gallu gwrthsefyll daeargrynfeydd, e.e. Tŵr Transamerica yn San Francisco. Mae'r adeiladau hyn wedi'u cynllunio i amsugno egni'r daeargryn a gwrthsefyll symudiadau yn y Ddaear.
- Cynllunio ffyrdd a phontydd sy'n gwrthsefyll egni'r daeargryn.

Ewch amdani!

1. Dewiswch **bedwar** peth mae pobl yn gallu ei wneud i baratoi ar gyfer daeargryn a **dwy** ffordd o allu rhagweld daeargryn.
2. Gwnewch luniau a'u labelu ar gyfer pob un o'r chwe peth gwahanol hyn a'u cofnodi ar chwe darn o nodiadau *'Post-it'*. Gludiwch nhw i'r bwrdd bach yn ymyl y gwely a chymerwch olwg arnyn nhw y peth olaf bob nos a'r peth cyntaf bob bore. Dylai hyn eich helpu i gofio'r wybodaeth. Byddai'n syniad da defnyddio un lliw ar gyfer rhagweld daeargryn ac un lliw ar gyfer paratoi ar gyfer daeargryn.

Gwybodaeth fewnol

Cwestiwn enghreifftiol

Anodwch y diagram i egluro pam mae echdoriadau folcanig yn digwydd ar ymylon platiau. [4]

Ateb myfyriwr

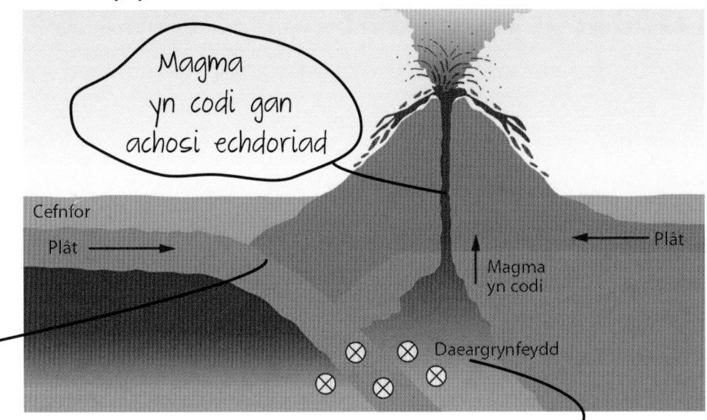

Sylwadau'r arholwr

Mae **anodwch** yn air gorchymyn. Mae'n gofyn i'r ymgeisydd ychwanegu nodiadau eglurhaol. Mae angen mwy na labelu sy'n gofyn am air neu gymal byr yn unig.

Mae'r myfyriwr â dealltwriaeth dda o'r cyfarwyddyd i anodi'r diagram yn ogystal â'r prosesau sy'n digwydd ar ymyl y plât. Fodd bynnag, nid oes digon o wybodaeth yma i haeddu pedwar marc. Mae'r myfyriwr yn disgrifio yn hytrach nag egluro'r digwyddiadau. Mae ffrithiant yn cael ei nodi fel grym sy'n creu gwres sy'n toddi'r gramen gefnforol. Ond, rwy'n ansicr pa rym sy'n achosi'r gramen gefnforol i gael ei gwthio o dan y gramen gyfandirol a pham fod y magma yn codi.

Byddwn yn rhoi un marc ar gyfer 'Cramen gefnforol yn cael ei dinistrio' ac un marc ar gyfer 'Magma yn codi gan achosi echdoriad'. Dyna gyfanswm o ddau farc.

LLIFOLAU **ARHOLIAD**

Astudiwch y diagram isod, sy'n dangos dosbarthiad llosgfynyddoedd.

a) Rhowch ddwy ffaith yn ymwneud â dosbarthiad llosgfynyddoedd. [2]

b) Mae Mynydd St. Helens yn llosgfynydd byw sydd wedi'i leoli ar ymyl plât dinistriol. Disgrifiwch sut mae modd monitro llosgfynyddoedd fel Mynydd St. Helens i ragweld yr echdoriad nesaf. [4]

c) Mae daeargrynfeydd yn enghraifft arall o weithgaredd tectonig. Defnyddiwch enghraifft o losgfynydd rydych wedi'i astudio i ddangos effeithiau cynradd ac effeithiau eilaidd daeargryn. [6]

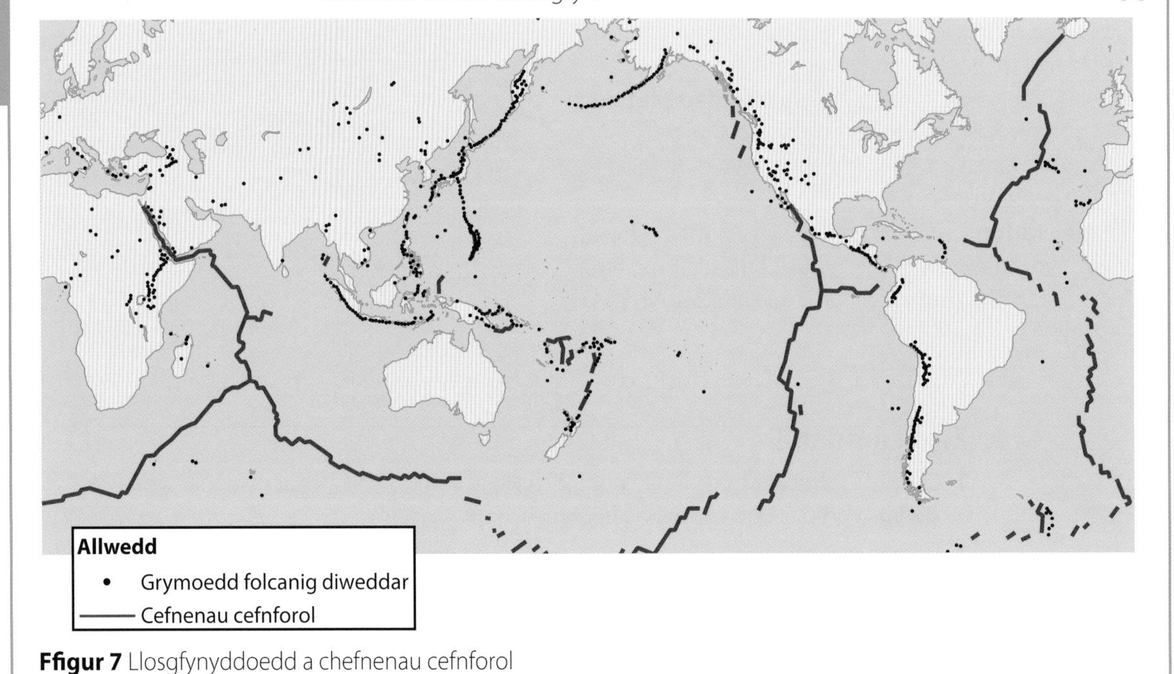

Ffigur 7 Llosgfynyddoedd a chefnenau cefnforol

Thema 4: Poblogaeth Newidiol

Ble mae pobl yn byw?

Ble mae pobl yn byw yn y byd? Pam maen nhw'n byw yno?

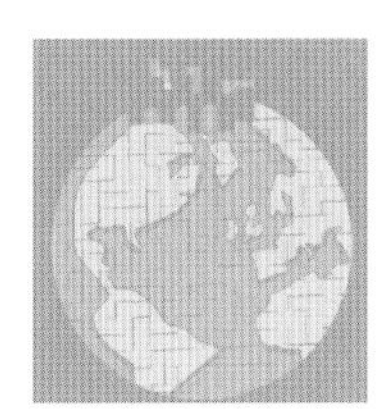

Y Pethau Pwysig

Dosbarthiad a dwysedd

Dydy pobl ddim wedi'u dosbarthu'n gyfartal ar y Ddaear.

- Mae **dwysedd poblogaeth** yn cael ei ddiffinio fel nifer y bobl sy'n byw mewn cilometr sgwâr (km^2). Mae rhai ardaloedd â phoblogaeth uchel tra mae ardaloedd eraill â phoblogaeth isel.
- Mae **dosbarthiad poblogaeth** yn disgrifio sut mae pobl wedi'u rhannu ar draws y tir. Defnyddir termau fel dosbarthiad cyfartal, clystyrog neu ddosbarthiad ar hap.

Mae'r rhesymau dros y gwahaniaethau mewn dosbarthiad a dwysedd poblogaeth yn cynnwys:

- **Ffactorau ffisegol** fel tirwedd, hinsawdd, priddoedd, llystyfiant ac adnoddau naturiol.
- **Ffactorau dynol** fel twf trefol, twf diwydiannol, datblygiadau amaethyddol, hygyrchedd a pholisïau'r llywodraeth.

Astudiaeth Achos – Ble mae pobl yn byw yn Brasil?

Mae Brasil yn Ne America yn enghraifft wych o sut mae'r ffactorau uchod yn effeithio ar y wlad.

- Poblogaeth Brasil yw 195 miliwn.
- Mae'r boblogaeth yn brin yn y **gogledd**. Mae'r ardal yma'n cynnwys Afon Amazonas yn ogystal â thyfiant trwchus o goedwigoedd glaw.
- Mae'r **gogledd-ddwyrain** yn cynnwys tua un rhan o dair o'r boblogaeth. Mae'r nifer yma'n lleihau oherwydd sychder sy'n dinistrio'r ardaloedd ffermio ffrwythlon.
- Mae dwysedd poblogaeth ar ei uchaf yn y **de-ddwyrain**. Mae'r ardal hon yn cynnwys dinasoedd Rio de Janeiro a São Paulo ac ardaloedd diwydiannol Brasil.
- Mae priddoedd ffrwythlon **de** Brasil yn ogystal â'r hinsawdd ffafriol yn cynnal ardal amaethyddol gyfoethog. Mae'n cynnal dwysedd poblogaeth uchel.
- Mae **canolbarth y gorllewin** yn ardal anhygyrch ac mae dwysedd y boblogaeth yn isel. Yn dilyn penderfyniad gwleidyddol y llywodraeth i symud y brifddinas i Brasilia mae poblogaeth yr ardal wedi cynyddu.

Ewch amdani!

Pa un o'r gosodiadau hyn y byddech chi'n ei ddewis i ddisgrifio dosbarthiad poblogaeth Gogledd America? Pa un ydy'r disgrifiad gorau? Sut mae'n bosib i chi wella'r disgrifiad?

a) Mae pobl wedi'u dosbarthu'n gyfartal ar draws y cyfandir.

b) Mae pobl wedi'u dosbarthu'n anghyfartal ar draws Gogledd America, er bod mwy o bobl yn byw yn y dwyrain.

c) Mae rhannau o'r de â phoblogaeth ddwys ond mae'r boblogaeth yn brin yn y gogledd.

ch) Mae mwy o bobl yn byw yn y de a'r dwyrain, er bod rhannau o arfordir y gorllewin â phoblogaeth ddwys.

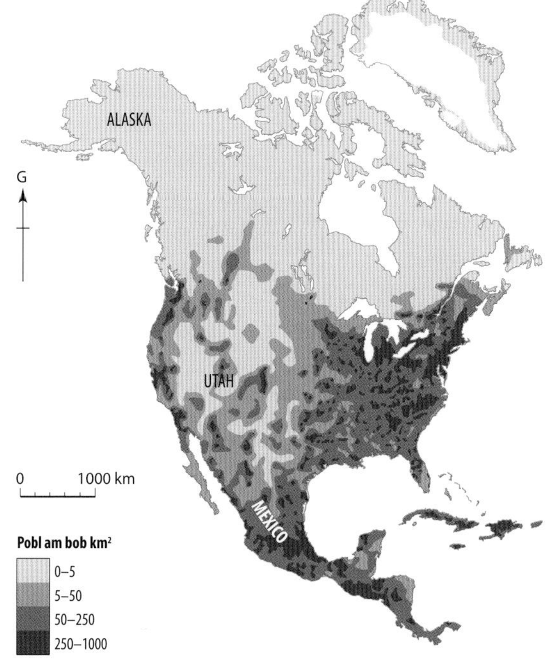

Ffigur 1 Dosbarthiad poblogaeth yng Ngogledd America

Beth yw'r ffactorau gwthio/tynnu sy'n achosi mudiad gwledig-trefol mewn gwledydd LIEDd a mudiad trefol-gwledig mewn nifer o wledydd MEDd?

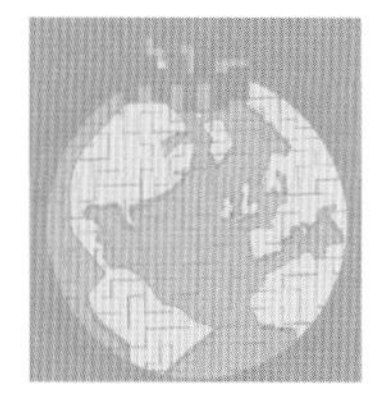

Y Pethau Pwysig

Gwledydd LIEDd (Gwledydd Llai Economaidd Ddatblygedig): mae gwledydd fel Uganda a Bangladesh yn wledydd mwy tlawd gyda safonau is o fyw.

Gwledydd MEDd (Gwledydd Mwy Economaidd Ddatblygedig): mae gwledydd fel Ffrainc a Japan yn wledydd mwy cyfoethog gyda safonau uwch o fyw.

Trefoli

Dyma'r broses lle mae nifer cynyddol o bobl yn byw mewn ardaloedd trefol. Y prif ffactor sy'n gyfrifol am drefoli ydy pobl yn symud o'r wlad i'r dinasoedd. Ffactorau eraill yw cyfraddau genedigaethau uwch a mudiant pobl o wledydd eraill.

Gwrthdrefoli

Defnyddiwyd y term gwrthdrefoli am y tro cyntaf yn ystod yr 1970au yn UDA. Mae'n disgrifio symudiad pobl o'r ddinas i'r wlad.

Mudiad gwledig-trefol

Mae **mudiad gwledig-trefol** yn gyffredin mewn gwledydd LIEDd. Mae hyn oherwydd y canlynol:

- Mae poblogaeth uchel yn achosi prinder tir a bwyd mewn ardaloedd gwledig.
- Mae pobl o'r farn bod ardaloedd trefol yn cynnig bywyd gwell, mwy o gyfleoedd am swyddi a gwasanaethau fel ysgolion ac ysbytai.
- Mae cnydau'n methu, prinder arian, perchenogaeth tir a phrinder addysg yn gallu arwain at dlodi mewn ardaloedd gwledig.
- Mae defnydd o beiriannau yn gallu arwain at ddiweithdra ac mae prinder swyddi eraill y tu allan i'r ddinas.

Mae **mudiad trefol-gwledig** yn gyffredin mewn gwledydd MEDd. Mae hyn oherwydd y canlynol:

- Mae ardaloedd trefol yn swnllyd gyda mwy o lygredd a throsedd.
- Gwelir ardaloedd gwledig fel lleoedd gyda digon o le, tawelwch a theimlad o berthyn i'r gymdeithas.
- Mae rhai'n credu bod ysgolion gwledig yn cynnig gwell addysg ac yn lleoedd mwy diogel.
- Mae cynnydd mewn cyfoeth a pherchenogaeth ceir yn ei gwneud yn haws teithio i'r ddinas.
- Gyda gwelliannau mewn telathrebu, mae'n ei gwneud yn haws i bobl weithio o gartref.
- Sefydlir busnesau newydd ar ffiniau ardaloedd trefol-gwledig fel nad ydy pobl yn gorfod cymudo i ganol y ddinas.
- Mae llawer yn ymddeol i fyw yn y wlad.

Ewch amdani!

1 Defnyddiwch y bocsys isod i egluro'r rhesymau pam fod pobl yn mudo o ardal drefol i ardal wledig mewn gwlad MEDd. Nodwch hefyd beth yw effeithiau'r mudo. Ychwanegwch res newydd o focsys ar gyfer pob rheswm newydd.

Rheswm	Canlyniad tymor byr	Canlyniad tymor hir	Unrhyw ganlyniadau eraill?

2 Nawr, gwnewch yr un peth ar gyfer mudo gwledig-trefol mewn gwledydd LIEDd

Beth fydd yn digwydd i boblogaeth y byd?

Beth yw'r ffactorau sy'n dylanwadu ar gyfraddau genedigaethau a marwolaethau?

Y Pethau Pwysig

Twf poblogaeth fyd-eang

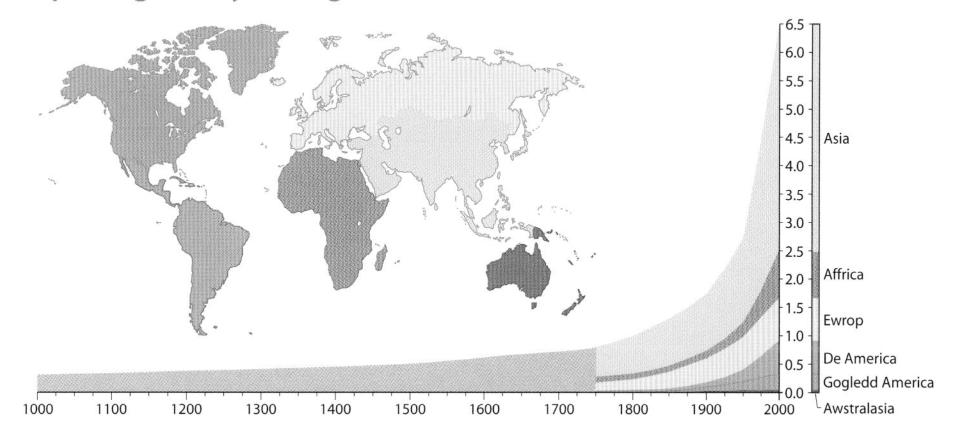

Ffigur 2 Twf poblogaeth fyd-eang

- Bu cynnydd graddol ym mhoblogaeth y byd hyd tua 1800. Ers hynny, mae poblogaeth y byd wedi cynyddu'n gyflym.
- Amcangyfrifwyd yn y flwyddyn 2000 fod poblogaeth y byd yn 6 biliwn. Roedd hyn ddwywaith yn fwy na phoblogaeth y byd yn yr 1960au. Mae'r rhan fwyaf o'r cynnydd diweddar i'w weld mewn gwledydd LIEDd.
- Erbyn heddiw, mae newidiadau cymdeithasol ac economaidd mewn gwledydd LIEDd wedi arwain at gynnydd arafach yn y boblogaeth. Mae gwelliannau amaethyddol hefyd wedi arwain at leihad mewn prinder bwyd.
- Mae amrywiaeth mawr yn yr amcangyfrifon ar gyfer twf yn y dyfodol. Mae'r rhan fwyaf o arbenigwyr yn credu y bydd poblogaeth y byd yn cynyddu i 8 biliwn yn ystod y ganrif hon.
- Mae'r cynnydd mewn poblogaeth fyd-eang yn ddibynnol ar y berthynas rhwng genedigaethau a marwolaethau. **Cynnydd naturiol** ydy'r gwahaniaeth rhwng cyfradd genedigaethau a chyfradd marwolaethau.

Ewch amdani!

Astudiwch Ffigur 2. Pa un o'r datganiadau isod y byddech chi'n ei ddefnyddio i ddisgrifio twf poblogaeth y byd? Pam dewisoch chi'r datganiad yma?

a) Yn y 1000 o flynyddoedd diwethaf mae pob cyfandir wedi gweld twf mewn poblogaeth.

b) Yn y 1000 o flynyddoedd diwethaf mae pob cyfandir wedi gweld twf mewn poblogaeth, ond gwelwyd y cynnydd mwyaf yn Asia.

c) Yn y 1000 o flynyddoedd diwethaf mae pob cyfandir wedi gweld twf mewn poblogaeth, ond gwelwyd y cynnydd mwyaf yn Asia. Roedd poblogaeth Asia wedi cynyddu i tua 4 biliwn erbyn y flwyddyn 2000.

ch) Yn y 1000 o flynyddoedd diwethaf mae pob cyfandir wedi gweld twf mewn poblogaeth, ond gwelwyd y cynnydd mwyaf yn Asia. Mae Ewrop ac Affrica wedi gweld cyfraddau tebyg o dwf poblogaeth, gyda mwy o gynnydd o ran nifer yn Affrica.

Cyfradd genedigaethau: nifer y genedigaethau byw am bob 1000 o bobl pob blwyddyn.

Cyfraddau genedigaethau

Mae cyfraddau genedigaethau yn uwch yn y rhan fwyaf o wledydd LIEDd oherwydd bod:

- plant yn helpu ar y tir ac yn cynnig help i'r bobl hŷn
- teuluoedd mawr yn arwydd o wrywdod (*virility*)
- rhai crefyddau ddim yn cytuno â dulliau atal cenhedlu
- merched yn priodi'n ifanc gan estyn y cyfnod geni plant
- nifer o ferched heb dderbyn addysg – disgwyl iddyn nhw aros gartref i fagu teulu
- offer a gwybodaeth am atal cenhedlu yn brin mewn rhai ardaloedd gwledig
- cyfradd marwolaethau uchel babanod yn annog teuluoedd mawr.

Mae cyfraddau genedigaethau yn is mewn gwledydd MEDd oherwydd bod:

- merched yn hŷn yn priodi
- merched wedi derbyn addysg ac yn gweithio ac felly'n dechrau teulu yn llawer hwyrach
- costau byw uchel yn golygu ei bod yn ddrud magu plant
- cyplau yn dewis gwario eu harian ar bethau materol fel ceir a gwyliau
- dulliau atal cenhedlu, a'r bilsen yn arbennig, yn hawdd i'w cael.

Cyfraddau marwolaethau

Cyfradd marwolaethau: nifer y marwolaethau am bob 1000 o bobl pob blwyddyn.

Mae cyfraddau marwolaethau yn isel mewn gwledydd MEDd. Mae'n gostwng mewn gwledydd LIEDd oherwydd bod:

- gwell gofal meddygol ar gael
- swyddi yn gofyn am lai o waith corfforol caled
- gwell dulliau o reoli afiechydon fel malaria, canser a cholera yn cael eu datblygu
- pobl â mwy o wybodaeth am iechyd a hylendid
- cyfenwad dŵr yn lanach ac yn fwy dibynnol
- gwell cyfleusterau ar gyfer cael gwared â gwastraff
- dulliau ffermio newydd a chynnydd mewn incwm yn rhoi bwyd a gwell amgylchiadau byw.

Mae cyfraddau marwolaethau yn cynyddu mewn rhai gwledydd MEDd a gwledydd LIEDd oherwydd bod:

- HIV yn cael effaith gynyddol ar gyfraddau marwolaethau mewn gwledydd LIEDd.
- gwledydd MEDd â nifer cynyddol o bobl hŷn.

Sut mae gwahaniaethau mewn cyfraddau genedigaethau a marwolaethau yn effeithio ar nifer a strwythur poblogaeth yn Ne Asia, Affrica Is-Sahara a Gorllewin Ewrop?

Y Pethau Pwysig

Strwythur poblogaeth

Dangosir strwythur poblogaeth fel pyramid poblogaeth.

- Mae'r boblogaeth yn cael ei rhannu fesul grŵp oedran gyda 5 mlynedd rhwng pob un.
- Mae'r barrau llorweddol yn dangos canran y boblogaeth o fewn pob grŵp oedran.
- Bydd gwrywod yn cael eu gosod ar y chwith a benywod ar y dde.

Mae strwythur poblogaeth yn cael ei rannu yn 3 grŵp oedran:

- Dibynyddion (*dependents*) ifanc, 0–14
- Poblogaeth sy'n gweithio, 15–64
- Dibynyddion hŷn, 65+

Bydd datblygiad gwlad yn effeithio ar strwythur poblogaeth. Mae cyfraddau genedigaethau uwch mewn gwledydd LIEDd gan amlaf yn creu pyramid â gwaelod llydan. Fodd bynnag, mae cyfraddau genedigaethau is mewn gwledydd MEDd yn creu pyramid poblogaeth â gwaelod cul a rhan uchaf sy'n fwy llydan.

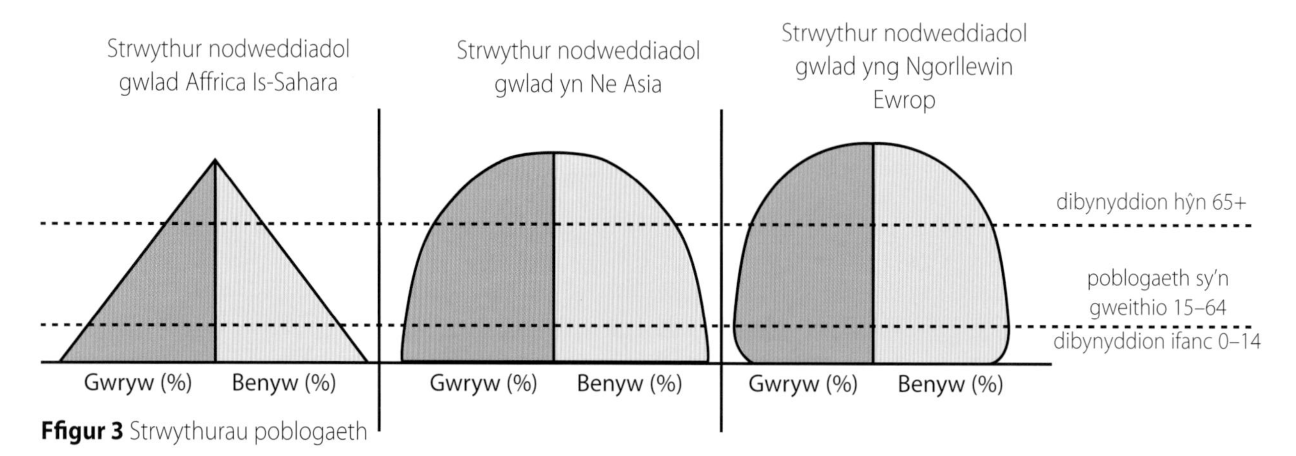

Ffigur 3 Strwythurau poblogaeth

Ewch amdani!

1. Edrychwch ar Ffigur 3. Cymharwch nifer y dibynyddion yn y tair rhan yma o'r byd. Rhowch sylw i'r:
   a) nifer o ddibynyddion ifanc
   b) nifer cynyddol o ddibynyddion hŷn wrth i'r wlad ddatblygu.
2. Eglurwch sut mae'r newidiadau mewn strwythur poblogaeth yn effeithio ar y galw am wasanaethau mewn gwlad.

Astudiaeth Achos – Nigeria (Affrica Is-Sahara)

Mae'r term daearyddol Affrica Is-Sahara yn cael ei ddefnyddio i ddisgrifio'r gwledydd hynny yn Affrica sy'n rhannol neu'n gyfan gwbl wedi'u lleoli i'r de o'r Sahara. Mae'n wahanol i ogledd Affrica sy'n cael ei ystyried fel rhan o'r Byd Arabaidd.

Mae Nigeria yn wlad sy'n rhan o Affrica Is-Sahara sydd wedi'i lleoli yng ngorllewin Affrica. Dyma wlad fwyaf poblog Affrica gyda phoblogaeth o 155 miliwn. Mae economi Nigeria yn tyfu'n gyflym ac mae'n wlad sy'n nodweddiadol o wlad LIEDd.

Edrychwch ar Ffigur 4. Mae'r gwaelod llydan yn dangos bod Nigeria â chyfradd genedigaethau uchel tra bod y rhan uchaf yn gul sy'n dangos bod llai o bobl hŷn yn y wlad. Mae'r siâp yma'n nodweddiadol o wlad Affrica Is-Sahara sydd â gwaelod llydan a brig cul.

Fodd bynnag, un o ganlyniadau cyfradd genedigaethau uchel ydy bod angen bwydo a chartrefu nifer mawr o blant yn ogystal â darparu addysg a gwasanaethau meddygol. Mae hyn yn gosod pwysau ar y gwasanaethau yn Nigeria.

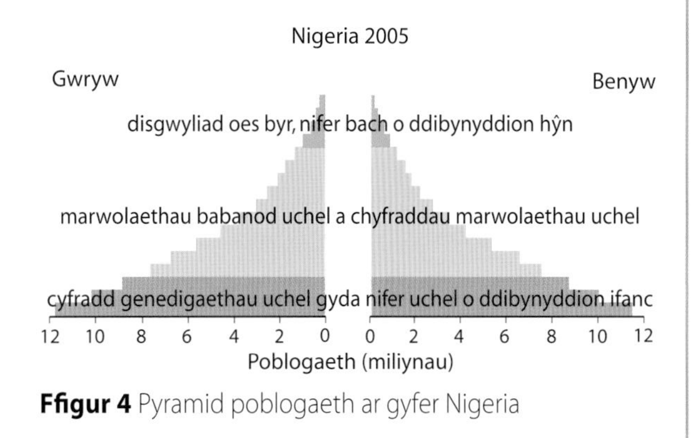

Ffigur 4 Pyramid poblogaeth ar gyfer Nigeria

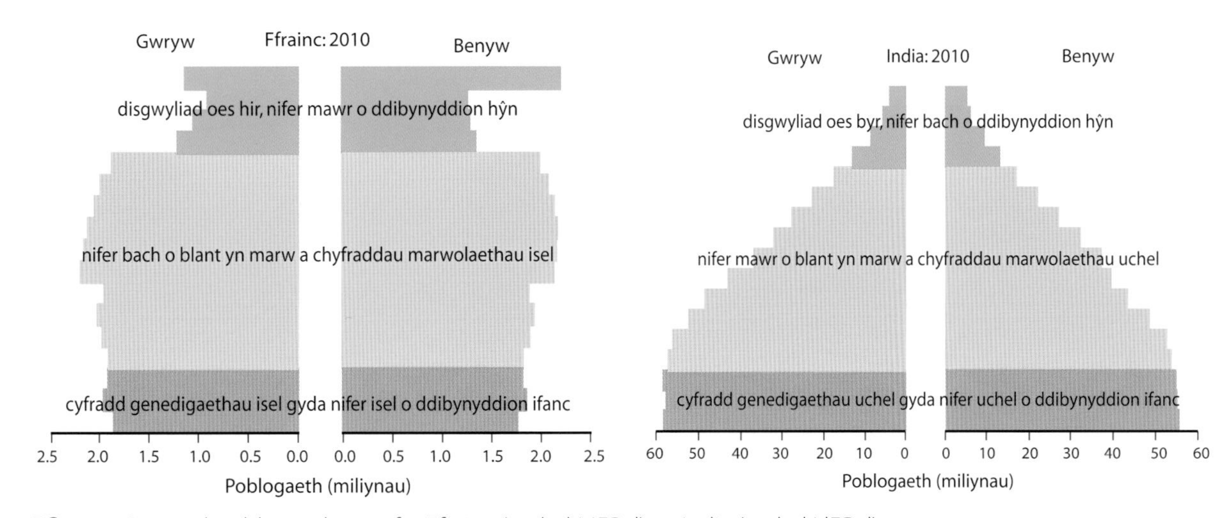

Ffigur 5 Pyramid poblogaeth ar gyfer Ffrainc (gwlad MEDd) ac India (gwlad LIEDd)

Ewch amdani!

Edrychwch ar Ffigur 5. Defnyddiwch y swigod dwbl isod i ddisgrifio'r gwahaniaethau rhwng strwythur poblogaeth Ffrainc ac India yn 2010. Rydych wedi derbyn gwybodaeth am dair adran wahanol o'r pyramid. Cofiwch ddangos i'r arholwr eich bod wedi edrych ar Ffigur 5 drwy ddefnyddio'r ffigurau yn eich disgrifiadau.

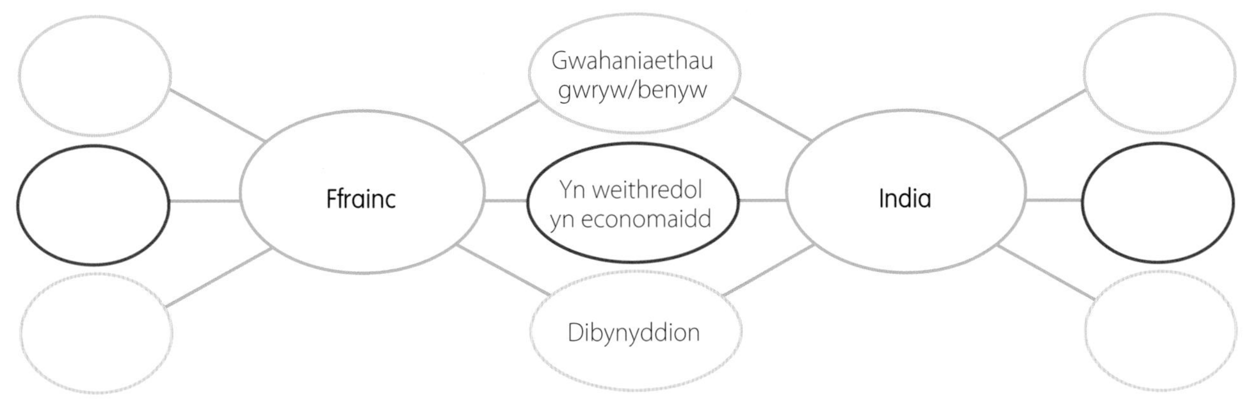

Sut mae'r gwahaniaethau hyn yn debygol o newid yn y dyfodol?

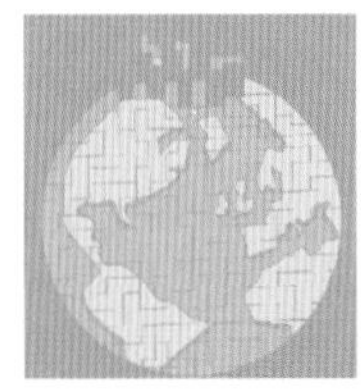

Y Pethau Pwysig

Mae cyfraddau twf poblogaeth yn amrywio ar draws y byd. Er bod poblogaeth y byd yn cynyddu'n gyflym dydy'r twf hwnnw ddim i'w weld ymhob gwlad. Yn gyffredinol:

- mae **gwledydd MEDd** â thwf poblogaeth isel
- mae **gwledydd LIEDd** â thwf poblogaeth uchel.

Gwlad MEDd	Cyfraddau genedigaethau	Cyfraddau marwolaethau	Ffrwythlondeb
DU	12	10	1.6
Yr Almaen	8	10	1.3
Yr Eidal	10	9	1.4

Ffrwythlondeb: nifer y plant ar gyfartaledd mewn teulu.

Gwlad LIEDd	Cyfraddau genedigaethau	Cyfraddau marwolaeth	Ffrwythlondeb
Ghana	33	10	4.4
Kenya	40	12	4.9
India	24	8	2.9

Newidiadau poblogaeth mewn gwledydd MEDd

Yn y rhan fwyaf o wledydd y byd mae cyfraddau genedigaethau yn gostwng. Mae hyn oherwydd gwelliannau mewn gofal iechyd, maeth ac amodau byw, sy'n arwain at ddisgwyliad oes hirach. Gyda mwy o bobl yn byw yn hŷn mae nifer o lywodraethau yn y gwledydd MEDd yn ei chael hi'n anodd cynnal poblogaeth sy'n heneiddio.

Astudiaeth Achos – Poblogaeth yn heneiddio yn y DU

Beth ydy'r materion?

- Mae lleihad yn nifer y boblogaeth sy'n gweithio.
- Mae cynnydd yn nifer y dibynyddion hŷn.

Beth sy'n bosib ei wneud?

- Annog pobl i arbed arian ar gyfer eu hymddeoliad.
- Cael pobl i weithio'n hirach: codi'r oedran mae pobl yn ymddeol.
- Agor cartrefi nyrsio newydd a chyflogi mwy o weithwyr gofal wrth i'r boblogaeth heneiddio – efallai ar draul gwariant ar ysgolion.
- Denu pobl sydd â'r sgiliau a'r gallu o wledydd eraill i lenwi swyddi gwag.
- Ceisio perswadio pobl i gael mwy o blant drwy gynnig nawdd gan y llywodraeth, e.e. gwell mynediad i wasanaethau gofal plant a gwell amodau o ran absenoldeb mamolaeth.

Newidiadau poblogaeth mewn gwledydd LIEDd

Mater pwysig iawn i wledydd y byd yw rheoli twf cyflym y boblogaeth. Mae hyn yn arbennig o wir am wledydd Affrica Is-Sahara lle mae AIDS wedi arwain at farwolaethau ymysg pobl ifanc, sef y boblogaeth sy'n gweithio. Mae hyn yn effeithio ar strwythur y boblogaeth ac mae'n sefyllfa bryderus.

Astudiaeth Achos – China

Mewn ymdrech i reoli twf poblogaeth ar ddiwedd yr 1970au, penderfynodd llywodraeth China gyflwyno polisi un plentyn.

- Cafodd y polisi un plentyn i bob cwpwl ei gadarnhau yn 1979.
- Cynigwyd mynediad i addysg a gofal iechyd i bawb oedd yn cydymffurfio â'r polisi. Doedd y manteision hyn ddim ar gael i gyplau oedd ddim yn cydymffurfio.
- Gosodwyd cosb ariannol ar deuluoedd oedd â mwy nag un plentyn.
- Cafwyd gwrthwynebiad i'r polisi hwn mewn ardaloedd gwledig lle roedd hi'n draddodiad i gael teuluoedd mawr.
- Mae erthyliad ar sail rhyw (lle mae merched yn cael eu herthylu) bellach yn gyffredin.

Effeithiau'r polisi

- Yn y 30 mlynedd diwethaf mae cyfradd genedigaethau wedi gostwng yn sylweddol. Mae cyfradd twf y boblogaeth bellach yn 0.7% o'i gymharu ag 1.9% yn ystod yr 1970au.
- Mae nifer sylweddol o fabanod sy'n ferched yn ddigartref neu mewn cartrefi plant amddifad. Yn ôl adroddiadau roedd 90% o'r plant gafodd ei erthylu yn China yn ferched.
- Mae'r cydbwysedd rhyw wedi ei golli. Amcangyfrifir bod 60 miliwn mwy o ddynion na merched yn China heddiw.

Effeithiau tymor hir

- Mae'r gostyngiad yn y gyfradd genedigaethau yn arwain at ddiffyg cydbwysedd yn strwythur y boblogaeth. Mae nifer y bobl hŷn hefyd yn cynyddu.
- Mae llai o bobl o oedran gweithio i gynnal y cynnydd mewn dibynyddion hŷn.

Ewch amdani!

Gwnewch gerdyn adolygu ar gyfer pob un o'r achosion achos uchod. Cofiwch y dylai'r cerdyn fod o faint A5 ac yn cynnwys y pethau pwysig ar gyfer yr astudiaeth. Bydd angen paratoi nodiadau ysgrifenedig yn ogystal â deunydd gweledol sy'n cynnwys ffeithiau a data. Gallwch ddefnyddio'r penawdau canlynol:

Enw'r Astudiaeth Achos
Uned/topig
Gwlad LlEDd neu wlad MEDd?
Lleoliad a map lleoliad
Rhesymau dros yr astudiaeth achos

Ewch amdani!

Lluniwch dabl sy'n dangos pwyntiau o blaid, pwyntiau yn erbyn neu bwyntiau 'diddorol' ar gyfer yr awgrymiadau isod. Ceisiwch ddod o hyd i o leiaf tri phwynt o blaid, tri phwynt yn erbyn ac un pwynt 'diddorol' ar gyfer pob awgrym. (Pwynt 'diddorol' ydy cwestiwn neu farn arbennig sydd gennych chi.)

O Blaid	Yn Erbyn	Pwynt Diddorol

1. Cynyddu'r boblogaeth mewn gwlad MEDd trwy gynnig arian os ydyn nhw'n cael tri neu fwy o blant.
2. Cynyddu'r boblogaeth mewn gwlad MEDd trwy gynnig triniaeth IVF ar gyfer cyplau hoyw.
3. Cydbwyso strwythur poblogaeth yn Nigeria drwy leihau'r gyfradd genedigaethau a'r gyfradd marwolaethau.

Gwybodaeth fewnol

Eglurwch pam nad ydy poblogaeth y byd wedi'i ledaenu'n gyfartal (*evenly spread*). [4]

Sylwadau'r arholwr

- Mae'n hanfodol eich bod yn deall ac yn gweithredu'r cyfarwyddiadau sy'n cael eu nodi gan y geiriau gorchymyn. Y gair gorchymyn yn y cwestiwn hwn ydy **eglurwch**. Y geiriau allweddol ydy **lledaeniad** a **phoblogaeth**. Mae'r cwestiwn yn gofyn i chi egluro dosbarthiad.

Mae'r atebion i'r cwestiwn hwn wedi'u marcio gan ddefnyddio cynllun marcio pwyntiau. Mae marciau yn cael eu rhoi ar sail pwyntiau penodol sy'n cael eu gwneud yn ymwneud â hinsawdd, cyflenwad dŵr, pridd ffrwythlon, llystyfiant, tirwedd, cefnforoedd, peryglon, adnoddau naturiol a datblygiad diwydiannol.

Gallwch hefyd ennill marciau ychwanegol drwy ehangu eich ateb ar rai o'r pwyntiau hyn.

Atebion enghreifftiol

Myfyriwr A

Mae'r rhan fwyaf o boblogaeth y byd yn byw yn yr hemisffer gogleddol cyfoethog. Mae hyn oherwydd bod gwell isadeiledd (infastructure) yno. Mae'r amodau hinsawdd✓ yn fwy ffafriol na'r amodau yn Affrica neu Awstralasia. Mae hyn yn arwain at fwy o dwristiaeth. Felly mae'r ffactorau tynnu yn fawr fel y mae'r ffactorau gwthio yn yr hemisffer deheuol.

Sylwadau'r arholwr

Dyma ateb gwael. Mae'n gymysglyd ac yn rhy gyffredinol. Rwy'n rhoi un marc am un pwynt digon tila am amodau hinsawdd.

Myfyriwr B

Mae rhai lleoedd yn fwy poblog nag eraill oherwydd pethau fel tir. Os ydy'r tir yn wastad✓ mae'n hawdd adeiladu arno,✓ [datblygiad] fel yn Bangladesh, a byddan nhw'n fwy poblog na thirwedd fwy mynyddig fel Nepal. Hefyd, mae pridd ffrwythlon✓ yn denu mwy o bobl, fel yn yr Iseldiroedd,✓ [datblygiad]. Hefyd, mae lleoedd gyda llawer o ddefnyddiau crai,✓ e.e. glo✓ [datblygiad] yn debygol o fod â dwysedd poblogaeth uwch. Hefyd, mae hinsawdd well, e.e. heb fod yn rhy boeth neu'n rhy oer✓ yn debygol o fod â dwysedd poblogaeth uwch.

Sylwadau'r arholwr

Mae hwn yn ateb da! Mae pedwar pwynt clir wedi'u gwneud ac mae tri o'r pwyntiau wedi'u datblygu ymhellach. Drwy wneud y pwyntiau hyn a thrwy eu datblygu ymhellach mae'r myfyriwr yma wedi ennill y marc uchaf o bedwar marc. Mae'n braf gweld cynnwys enghreifftiau o leoedd penodol.

LLIFOLAU ARHOLIAD

Astudiwch Ffigur 6.

a) Mae dinasoedd mewn gwledydd LIEDd fel Botswana yn tyfu am resymau gwthio o ardaloedd gwledig a rhesymau tynnu o'r ardaloedd trefol. Rhestrwch dri rheswm gwthio o'r ardaloedd gwledig. [3]

b) Pam fod canran isel o bobl hŷn a phlant yn y ddinas hon? [3]

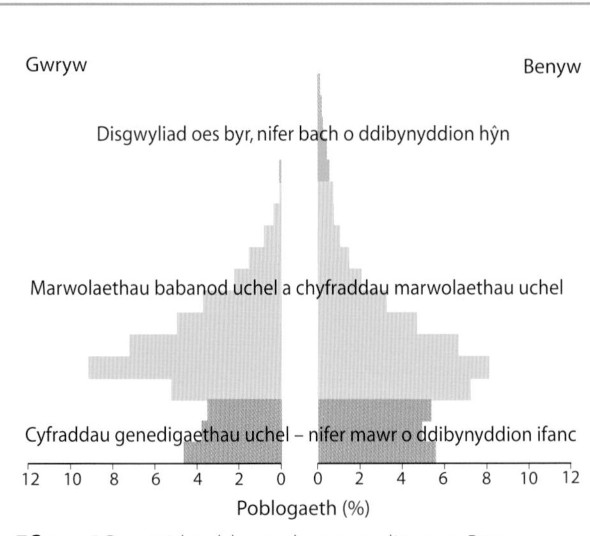

Ffigur 6 Pyramid poblogaeth mewn dinas yn Botswana

B Y Byd Global
Thema 5: Globaleiddio

Beth yw globaleiddio?

Sut mae newidiadau mewn busnes a thechnoleg wedi caniatáu cynnydd mewn cyd-ddibyniaeth rhwng gwledydd MEDd a gwledydd LlEDd?

Globaleiddio: gweithgareddau dynol yn digwydd ar raddfa fyd-eang. Rydym ni'n byw mewn byd llai lle mae pawb yn dibynnu ar ei gilydd – y 'pentref byd-eang'.

Cyd-ddibyniaeth: dyma lle mae gwledydd wedi'u cysylltu â'i gilydd yn economaidd, yn gymdeithasol, yn ddiwylliannol ac yn wleidyddol fel eu bod yn ddibynnol ar ei gilydd.

Ewch amdani!

Paratowch ddiffiniad o'r termau globaleiddio a chyd-ddibyniaeth.

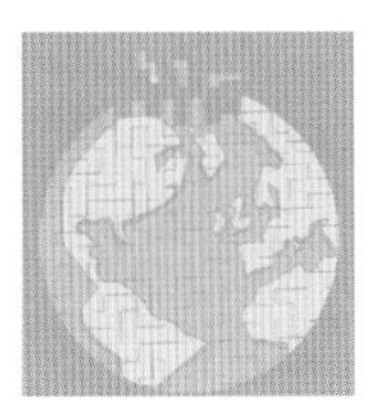

Y Pethau Pwysig

Globaleiddio

Defnyddiwyd y term globaleiddio am y tro cyntaf yn yr 1950au oherwydd:

- Gwelliannau mewn technoleg a thelathrebu – cyfrifiaduron, y we, e-bost, ffonau symudol a chynadleddau fideo.
- Gwelliannau mewn trafnidiaeth – mae pobl bellach yn mynd ar eu gwyliau i bob rhan o'r byd ac mae busnesau yn cludo nwyddau a nwyddau crai ar draws y byd.
- Twf cwmnïau rhyngwladol fel *HSBC* a *Nike*. Dyma'r cwmnïau sy'n gyrru globaleiddio yn ei flaen.
- Cynnydd mewn cydweithio gwleidyddol, e.e. Cyfundrefn Masnach y Byd (*WTO*) sef sefydliad sy'n meithrin masnach rydd.
- Datblygiad blociau masnach.

Cwmnïau amlwladol

Cwmni amlwladol o UDA yw *McDonald's*. Mae gan y cwmni bron 30,000 o dai bwytai mewn 119 o wledydd sydd wedi helpu i greu economi sy'n weithredol ar draws y byd. Mae'r rhan fwyaf o'r cwmnïau amlwladol â'u pencadlys mewn gwledydd MEDd fel UDA neu'r DU. Maen nhw'n aml â changhennau mewn gwledydd tlotach, e.e. mae *B&Q* bellach â siopau yn China. Maen nhw hefyd yn buddsoddi mewn gwledydd MEDd eraill, e.e. cwmni Americanaidd *Ford* yn y DU.

Mae'r ffactorau sy'n denu cwmnïau amlwladol yn cynnwys:

- defnyddiau crai rhatach
- cyflogau is
- rheolau amgylcheddol llai tynn
- rhwydwaith trafnidiaeth da
- mynediad i'r farchnad lle mae'r nwyddau'n cael eu gwerthu
- polisïau cyfeillgar gan y llywodraeth sy'n cynnig cymorth ariannol a manteision treth.

Ewch amdani!

Edrychwch o gwmpas eich cartref. Faint o dystiolaeth o gynnyrch cwmnïau amlwladol sydd o gwmpas eich cartref? Gwnewch ddiagram pry cop/corryn neu fap meddwl i grynhoi effeithiau globaleiddio. Beth am rannu'r effeithiau yn effeithiau da, drwg a dim gwahaniaeth.

Beth yw manteision globaleiddio? Pam mae rhai yn ei weld fel bygythiad?

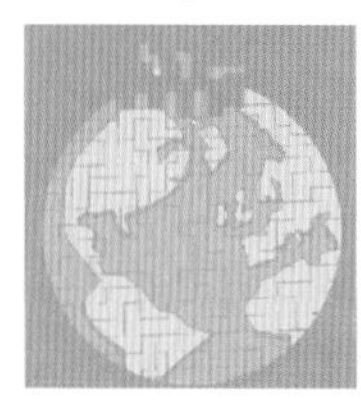

Y Pethau Pwysig

Manteision globaleiddio

Mae globaleiddio yn cael effaith fawr ar fywydau pobl. Dyma rai o'r manteision:

- Mae buddsoddiad gan gwmnïau amlwladol yn creu swyddi a chynnig sgiliau i bobl leol.
- Mae cwmnïau amlwladol yn dod ag arian tramor i mewn i'r ardal leol drwy brynu cynnyrch ac adnoddau lleol a gwasanaethau. Mae hyn yn cael ei alw yn **effaith luosydd**.
- Mae cael pobl o wahanol ddiwylliannau i gymysgu â'i gilydd yn arwain at rannu syniadau a ffordd o fyw gan greu cymdeithas fywiog. Mae pobl yn gallu profi bwyd a chynnyrch nad oedd ar gael cyn hyn. Maen nhw'n gallu mynd ar wyliau i bob rhan o'r byd.
- Mae mudiant pobl yn gallu arwain at lenwi swyddi gwag a chynnig pobl sydd â'r sgiliau angenrheidiol.
- Mae globaleiddio yn gallu arwain at bobl yn dod yn fwy ymwybodol o'r hyn sy'n digwydd mewn rhannau eraill o'r byd, e.e. roedd pobl yn y DU yn gwybod yn syth am y daeargryn yn Haiti yn 2010.
- Mae'n gallu gwneud pobl yn fwy ymwybodol o faterion byd-eang fel datgoedwigo a chynhesu byd-eang a'u gwneud yn fwy ymwybodol bod angen datblygiad cynaliadwy.

Bygythiad globaleiddio

Mae'r rhai sy'n feirniadol o globaleiddio yn cynnwys amgylcheddwyr, ymgyrchwyr yn erbyn tlodi ac undebau llafur. Beth yw'r feirniadaeth?

- Mae globaleiddio yn gofalu am fuddiannau'r gwledydd mwyaf cyfoethog. Mae'r gwledydd sy'n datblygu yn cynnig llafur rhad a defnyddiau crai.
- Mae'r elw yn aml iawn yn cael ei anfon yn ôl i'r gwledydd MEDd lle mae'r rhan fwyaf o'r cwmnïau amlwladol wedi'u lleoli.
- Mae cwmnïau mawr gyda'u gallu i dorri costau yn gallu dinistrio cwmnïau lleol.
- Os ydy hi'n rhatach mewn gwlad arall yna bydd y cwmnïau yn symud gan gau'r ffatri a gwneud y gweithwyr yn ddi-waith.
- Mae cwmnïau amlwladol yn gallu gweithredu mewn ffordd na fyddai'n bosib mewn gwlad MEDd, e.e. llygru'r amgylchedd, llai o bwyslais ar ddiogelwch neu dalu cyflogau is i'r gweithwyr lleol.
- Mae globaleiddio yn tanseilio amrywiaeth ddiwylliannol y byd. Mae'n gallu difrodi traddodiadau ac ieithoedd lleol gan greu byd sydd â phwyslais ar y Gorllewin cyfalafol.
- Mae mudiant pobl ar draws y byd yn gallu creu tensiynau cymdeithasol.
- Gall diwydiannau lwyddo mewn gwledydd LIEDd ar draul swyddi mewn gwledydd MEDd. Mae dirywiad y diwydiannau traddodiadol yn y gwledydd MEDd yn cael ei alw yn **dad-ddiwydiannu** (*deindustrialisation*) (pennod 12).

Ewch amdani!

1. Darllenwch y nodiadau sydd yn y llyfr adolygu hwn sy'n trafod effeithiau a bygythiadau globaleiddio cyn cau'r llyfr.
2. Yna, ceisiwch wneud dwy restr, un yn cynnwys manteision globaleiddio a'r llall yn rhestru'r bygythiadau. Wedi i chi orffen eich rhestri agorwch y llyfr adolygu eto a gweld faint ydych chi wedi'i gofio ... a'i ddysgu.
3. Gwnewch yr ymarfer yma nifer o weithiau hyd nes eich bod yn gallu cofio tair mantais a thri bygythiad. Cofiwch, mae'n bwysig eich bod yn gallu cofio rhai ffeithiau ac astudiaethau achos fel enghreifftiau.

Astudiaeth Achos – Gweithwyr Iechyd

Rhwng y flwyddyn 2000 a'r flwyddyn 2005 fe ymunodd rhwng 10,000–15,000 o nyrsys oedd newydd gymhwyso â'r Gwasanaeth Iechyd Gwladol (GIG) o wledydd LIEDd. Mae manteision ac anfanteision y symudiad yma'n cynnwys:

- Gweithwyr yn ennill llawer mwy nag y bydden nhw'n ei ennill yn eu gwledydd eu hunain. Mae'n bosib anfon rhan o'r arian hwn adref.
- Gweithwyr yn manteisio drwy dderbyn hyfforddiant yn y technegau a'r triniaethau mwyaf diweddar. Bydd y wybodaeth hon yn ddefnyddiol pan fyddan nhw'n dychwelyd adref.
- Byddai'r GIG â phrinder mawr o nyrsys a meddygon oni bai eu bod recriwtio o dramor.
- Mae amserau aros yn lleihau ac mae cleifion yn y DU yn derbyn triniaeth yn gyflymach.
- Mae ysbytai mewn gwledydd LIEDd yn brin iawn o staff sydd wedi derbyn hyfforddiant.
- Mae arian sy'n cael ei fuddsoddi gan wledydd LIEDd ar hyfforddi mewn prifysgol yn cael ei golli pan fyddan nhw'n symud dramor.

Beth yw effeithiau globaleiddio ar wledydd sydd ar wahanol lefelau o ddatblygiad?

Beth yw effeithiau cymdeithasol ac economaidd ehangu'r UE?

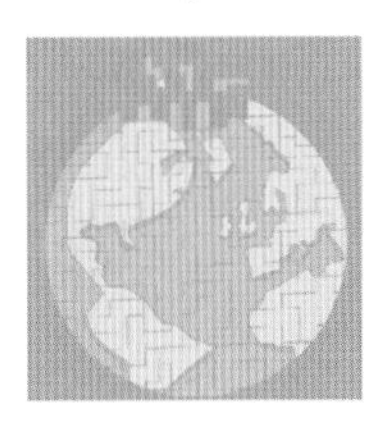

Y Pethau Pwysig

Yr Undeb Ewropeaidd

- Mae'r DU yn aelod o'r Undeb Ewropeaidd, sef gwledydd sy'n cydweithio gyda'i gilydd i hwyluso masnach a gwella safon byw. Mae'n debyg iawn i glwb. I fod yn aelod mae'n rhaid cytuno â rheolau'r clwb i dderbyn y manteision.
- Mae poblogaeth yr Undeb Ewropeaidd tua 500 miliwn. Mae pob gwlad yn talu i fod yn aelod. Mae'r arian yma wedyn yn cael ei ddefnyddio i newid y ffordd mae pobl yn byw, a sut maen nhw'n gwneud busnes yn Ewrop.
- Mae pobl yr aelod-wladwriaethau yn gallu symud yn rhydd rhwng gwledydd.
- A oes gormod o reolau? Mae'r UE yn gorfodi pobl i ddilyn ei reolau er eu bod yn anghytuno â nhw.

Dyddiad	Gwlad
1957	Gwlad Belg, Ffrainc, Yr Iseldiroedd, Yr Almaen, Yr Eidal
1973	Luxembourg
1981	Denmarc, Iwerddon, DU
1986	Gwlad Groeg
1995	Portiwgal, Sbaen
2004	Awstria, Ffindir, Sweden Hwngari, Gwlad Pwyl, Gweriniaeth Tsiec, Gweriniaeth Slofac Slofenia, Estonia, Latvia, Lithuania, Malta, Cyprus
2007	Bwlgaria, România

Bloc masnach – casgliad o wledydd sy'n gweithio gyda'i gilydd i ddileu rhwystrau masnach a gwella masnach rhwng y gwledydd sy'n aelodau.

Effeithiau ehangu'r Undeb Ewropeaidd

Mae ehangu'r Undeb Ewropeaidd (UE) wedi arwain at gynnydd mewn masnach rhwng gwledydd yr UE. Mae hi hefyd yn haws teithio rhwng gwledydd. Mae twristiaeth mewn dinasoedd fel Krakow a Budapest yn llewyrchus ac mae nifer mawr o weithwyr o ddwyrain Ewrop yn teithio i'r gorllewin i chwilio am waith.

Astudiaeth Achos – Mudiad pobl o Wlad Pwyl i'r DU

- Mae pobl sy'n perthyn i'r UE yn gallu symud i fyw a gweithio mewn unrhyw wlad arall sy'n aelod o'r UE. Wedi i Wlad Pwyl ymuno â'r UE yn 2004 mae hanner miliwn o bobl o Wlad Pwyl wedi symud i'r DU.
- Roedd pobl yn gadael Gwlad Pwyl oherwydd diweithdra uchel, cyflogau isel a phrinder tai.
- Roedden nhw'n dod i'r DU gan fod mwy o waith yma, cyflogau uwch yn ogystal â galw uchel am weithwyr oedd yn grefftwyr fel trydanwyr. Roedd hi'n hawdd symud i'r DU gan fod Saesneg yn iaith ryngwladol a bod y DU yn fodlon derbyn pawb.

Effaith ar Wlad Pwyl	Effaith ar y DU
• Gostyngiad yn y boblogaeth o 0.3%. • Nifer o bobl ifanc yn gadael gan arwain at ostyngiad yn y gyfradd genedigaethau. • Bydd llai o blant yn yr ysgolion yn y dyfodol. • Arian yn cael ei anfon adref gan y gweithwyr oedd wedi mudo i'r DU (tua £3 biliwn yn 2006).	• Cynnydd bychan yn y boblogaeth. • Llenwi swyddi gwag a hybu economi'r DU. • Symiau sylweddol o arian yn cael ei anfon allan o'r wlad. • Sefydlu siopau newydd yn gwerthu cynnyrch o wlad Pwyl. • Cynnydd yn nifer y rhai oedd yn mynd i addoli mewn eglwysi Catholig. • Tyndra cymdeithasol rhwng y boblogaeth leol a'r mewnfudwyr mewn rhai ardaloedd.

Ewch amdani!

Gan ddefnyddio'r tabl uchod defnyddiwch liw coch i ddangos effeithiau cymdeithasol mewnfudo pobl o Wlad Pwyl i mewn i'r DU a lliw glas i ddangos yr effeithiau economaidd.

Sut mae gwledydd sy'n datblygu'n ddiwydiannol fel India a China wedi elwa o ganlyniad i globaleiddio?

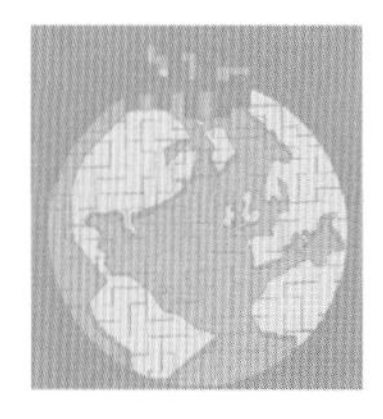

Y Pethau Pwysig

Mae gwledydd fel China ac India yn cael eu cyfrif fel gwledydd sydd wedi llwyddo oherwydd globaleiddio a bod hynny wedi arwain at wella safon byw gwledydd LIEDd. Mae China yn farchnad anferth. Dim ond yn ddiweddar, fodd bynnag, gyda mynediad China i'r *WTO* mae'r wlad yn agor y farchnad honno i fasnach y byd. Mae twf China wedi bod yn drawiadol ond mae'r twf hwnnw wedi arwain at ddatblygiad anghyfartal o fewn China.

- Mae'r twf wedi ei grynhoi yn yr ardaloedd arfordirol. Dydy'r rhanbarthau yn y gorllewin a'r gogledd-orllewin ddim wedi llwyddo i dyfu. Mae gwahaniaethau hefyd rhwng y wlad a'r ddinas, sy'n creu cymdeithas anghyfartal.
- Mae bywydau dros 120 miliwn o bobl China wedi gwella o ganlyniad i'r twf ond mae tyndra rhwng y boblogaeth fwy cefnog a'r rhai sy'n dlotach.
- Dydy hi ddim yn bosib i China barhau i dyfu'n gyflym heb effeithio'n ddifrifol ar yr amgylchedd.
- Mae cwmnïau amlwladol o UDA, Ewrop a Japan wedi sefydlu yn China. Maen nhw wedi sefydlu diwydiannau sy'n gweithgynhyrchu ar gyfer masnach y byd yn hytrach na manteisio ar y farchnad leol.

Manteision cwmni amlwladol i China	Anfanteision cwmni amlwladol i China
• Maen nhw'n creu swyddi i bobl China. • Mae'r llywodraeth yn gallu eu trethu a defnyddio'r arian i wella economi China. • Maen nhw'n aml yn defnyddio defnyddiau ac offer sy'n cael eu cynhyrchu gan gwmnïau o China. • Maen nhw'n dod ag arbenigwyr a sgiliau newydd gyda nhw.	• Maen nhw'n aml iawn yn talu cyflogau isel. • Mae rhai'n defnyddio plant i weithio a hynny dan amodau gwael. • Maen nhw'n gallu llygru'r amgylchedd. • Maen nhw'n gallu symud eu swyddfeydd, eu siopau a'u ffatrïoedd i wledydd sy'n rhatach. • Newid diwylliant China er gwaeth, e.e. agor tai bwyta bwyd cyflym.

Astudiaeth Achos – Twf gweithgynhyrchu yn China

- Mewn 30 mlynedd, mae China wedi newid o fod yn wlad amaethyddol i fod yn wlad gyda diwydiannau gweithgynhyrchu cryf. Yn 1978 roedd China yn cynhyrchu 4000 o setiau teledu. Erbyn 2004 roedd yn cynhyrchu 75 miliwn set.
- China ydy'r trydydd economi mwyaf yn y byd erbyn hyn. Dim ond UDA a Japan sy'n fwy.
- Mae China yn gweithgynhyrchu nwyddau fel dillad, cyfrifiaduron a theganau sy'n cael eu gwerthu ar draws y byd.
- Mae nifer o gwmnïau amlwladol fel *Nike* a *Disney* wedi'u lleoli yn China.

Cwmni amlwladol o UDA sy'n gwerthu dillad chwaraeon ydy *Nike*. Mae'r gwaith ymchwil, cynllunio a marchnata wedi'i leoli yn UDA. Mae'r gweithgynhyrchu fodd bynnag yn digwydd mewn gwledydd ar draws y byd fel China a Bangladesh. Dydy *Nike* ddim yn berchen eu ffatrïoedd eu hunain. Maen nhw'n is-gontractio'r gwaith i gwmnïau eraill. Gwnaeth *Nike* elw o $1.5 biliwn yn 2007.

Dyma'r rhesymau dros dwf gweithgynhyrchu yn China:

- Llafur rhad – nid oes isafswm cyflog yn China. Mae cyflog gweithiwr tua £70 y mis.
- Oriau gwaith hir – mae cyfraith China yn nodi y dylai gweithwyr weithio 40 awr yr wythnos ac uchafswm o 36 awr o oriau goramser. Ond, gan nad ydy'r ddeddf yn cael ei gorfodi, mae rhai yn gweithio cymaint ag 80 o oriau goramser.
- Rheolau iechyd a diogelwch llai caeth. Mae deddfau ar gael ond dydyn nhw ddim yn cael eu gorfodi'n gaeth.
- Dim hawl i streicio – mae'n anghyfreithlon i bobl ymuno ag undebau ar wahân i'r *ACFTU* (*All-China Federation of Trade Unions*). Mae'r undeb hwn yn gallu galw streic ond yn ôl y gyfraith mae angen cael pobl yn ôl i'r gwaith mor fuan â phosib.
- Cymhellion treth – mae gan China Ranbarthau Datblygu Arbennig sy'n cynnig cymhellion treth i gwmnïau tramor. Gan amlaf, nid yw cwmnïau tramor yn talu trethi am y ddwy flynedd gyntaf, yna 50% am y tair blynedd nesaf ac yna treth o 15%. Un o'r rhanbarthau mwyaf llwyddiannus ydy Shenzhen. Mae ffatrïoedd yn Shenzhen yn gwneud nwyddau ar gyfer cwmnïau fel *Wal-Mart*, *Dell* ac *IBM*.

Sut mae patrymau masnach wedi atal cynnydd economaidd yn y gwledydd llai economaidd ddatblygedig (LIEDd)?

Mewnforion: nwyddau sy'n cael eu prynu o dramor ac sy'n dod i mewn i'r wlad.

Allforion: nwyddau sy'n cael eu prynu gan wledydd tramor ac yn cael eu hanfon atyn nhw. Mantol fasnach yw'r gwahaniaeth rhwng yr arian sy'n cael ei ennill o allforion a'r arian sy'n cael ei wario ar fewnforion.

Ewch amdani!

Ewch amdani i chwilio am y gwahaniaeth rhwng gwarged masnach (*trade surplus*) a diffyg masnach (*trade deficit*). Yna, eglurwch ystyr y termau gwarged masnach a diffyg masnach i aelod o'ch teulu. Defnyddiwch bethau o'r gegin i'ch helpu i egluro'r gwahaniaeth.

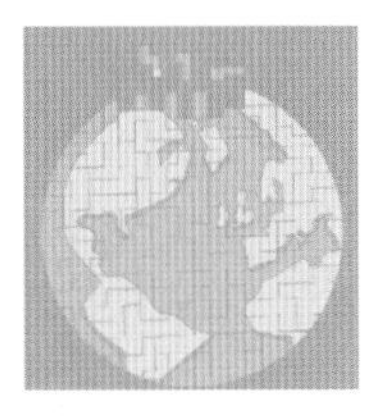

Y Pethau Pwysig

Gan amlaf, mae gwledydd MEDd yn **allforio** nwyddau drud sydd wedi'u **gweithgynhyrchu** fel nwyddau electronig a cheir ac yn **mewnforio** nwyddau rhatach **cynradd** fel siwgr, tybaco, blodau, te a choffi.

Yn y gwledydd LIEDd mae'r gwrthwyneb yn wir. Mae hyn yn golygu bod y gwledydd hyn yn ennill ychydig iawn o arian ac felly yn aros yn dlawd. Mae'r gwledydd yn cael eu gorfodi i fenthyg arian i dalu am y mewnforion. O ganlyniad mae'r gwledydd hyn mewn dyled.

Mae prisiau nwyddau cynradd yn amrywio ar farchnad y byd. Gosodir y prisiau gan wledydd MEDd ac mae cynhyrchwyr yn y gwledydd LIEDd yn dioddef pan fo'r pris yn gostwng. Mae Ghana, er enghraifft, yn derbyn 75% o'i harian drwy werthu coco a choed. Mae gwledydd LIEDd yn ddibynnol iawn ar fasnach y byd – ond heb fawr o ddylanwad ar sut mae'n gweithio.

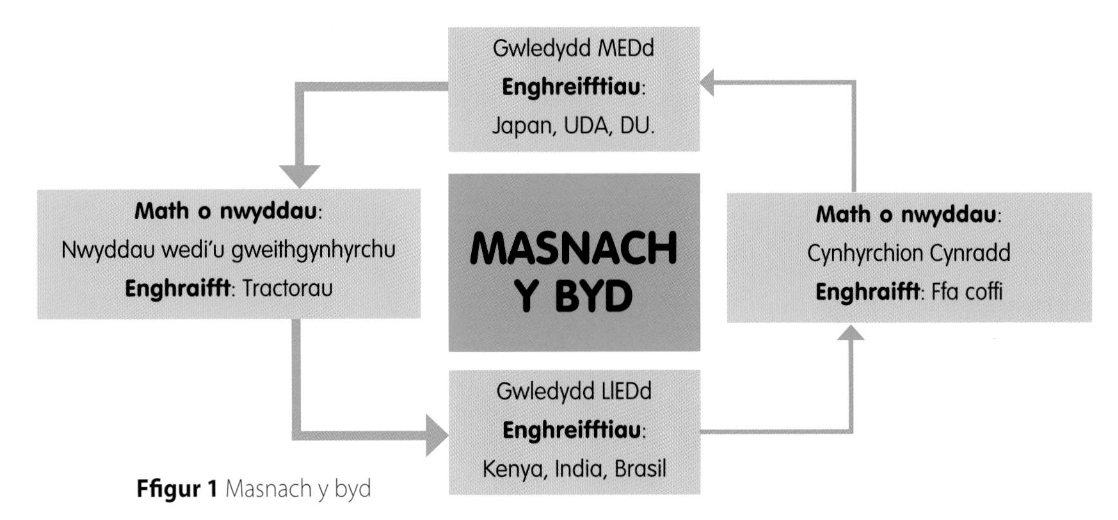

Ffigur 1 Masnach y byd

Mae cynyddu masnach i leihau'r diffyg yn y fantol fasnach yn hanfodol ar gyfer datblygiad gwledydd LIEDd. Bwriad llywodraethau nifer o wledydd ydy peidio â chyfyngu ar fasnach na'i hannog. Anfantais hyn ydy y gallai gwledydd fel Prydain gael eu boddi gan fewnforion rhad sydd wedi'u cynhyrchu mewn gwledydd sydd â chostau llafur rhatach. Mae hyn yn gallu bod yn wych i'r prynwr ond yn anfantais i ddiwydiant lleol a fyddai'n arwain at golli swyddi. Mae rhai gwledydd (yn arbennig gwledydd MEDd) wedi gosod toll (*tariff*) neu gwota i amddiffyn eu hunain rhag mewnforion rhad. Mae rhai'n talu cymhorthdal i'w ffermwyr a'u busnesau fel bod nwyddau yn gallu cael eu gwerthu'n rhatach. Trwy hyn maen nhw'n gallu cystadlu â nwyddau sy'n cael eu mewnforio.

GATT a *WTO*

Sefydlwyd *GATT* (*General Agreement on Trade and Tariffs*) yn 1947 i annog masnach rydd. Roedd hi'n 1993 fodd bynnag cyn i rai cytundebau gael eu harwyddo. Yn 1995, cafodd *WTO* (*World Trade Organisation* – Cyfundrefn Masnach y Byd) ei sefydlu yn lle *GATT*. Gyda 120 o aelodau, mae'n rheoli cytundebau masnach, yn datrys anghydfod masnachol ac yn annog masnach rydd a theg.

Toll: treth sy'n cael eu gosod ar fewnforion.

Cwota: cyfyngu ar faint o nwyddau y gellir eu mewnforio.

Cymhorthdal: arian gan y llywodraeth i gynnal pris cynnyrch penodol, e.e. llaeth.

Astudiaeth Achos – Kenya

Mae Kenya yn nodweddiadol o wlad LIEDd gyda chyfran uchel o bobl yn gweithio yn y sector cynradd. Mae'r rhan fwyaf yn ffermwyr ymgynhaliol. Yn ddiweddar, mae'r diwydiant twristiaeth wedi cynyddu yn ei boblogrwydd. Bellach, dyma ffynhonnell bwysicaf incwm i'r wlad. Yn ystod 2008 mewnforiodd Kenya nwyddau gwerth $11,000 miliwn. Allforiwyd nwyddau gwerth $5,000 miliwn sy'n ddiffyg mawr iawn. Roedd 56% o allforion Kenya yn gynhyrchion amaethyddol tra bod y mewnforion yn cynnwys tanwydd a nwyddau wedi'u gweithgynhyrchu.

Ewch amdani!

Mae **cwotâu masnach**, **tollau masnach** a **chymorthdaliadau** i gyd yn ffyrdd y mae'r gwledydd mwyaf pwerus (gwledydd MEDd gan amlaf) yn rheoli masnach o gwmpas y byd. Ar gyfer y tri dull hyn o reoli, disgrifiwch sut mae hyn yn effeithio ar wledydd MEDd. Cyfeiriwch at Ffigur 1 i'ch helpu. Ceisiwch ystyried effeithiau cadarnhaol a negyddol.

Gwybodaeth fewnol

Mae deall a defnyddio termau daearyddol yn hanfodol i lwyddo mewn arholiad. Cofiwch ystyried pa farciau sydd ar gael wrth ddarllen y cwestiwn. Bydd y wybodaeth hon yn penderfynu sut ydych chi'n ateb y cwestiwn.

Bydd angen i chi edrych am y **geiriau gorchymyn** sy'n dweud wrthych beth i'w wneud. Yna, bydd angen ystyried y **termau allweddol** fel eich bod yn gwybod beth sydd angen i chi ei wneud.

Cwestiwn

Eglurwch ystyr bloc masnach (*trading bloc*). [2]

Atebion enghreifftiol

Myfyriwr A

Bloc masnach ydy ble mae gwledydd yn gallu masnachu â'i gilydd heb dalu trethi.✓

Myfyriwr B

Grŵp o wledydd✓ sydd wedi dod i gytundeb â'i gilydd i allforio a mewnforio nwyddau oddi wrth ei gilydd heb gynnwys tollau,✓ e.e. yr Undeb Ewropeaidd.✓

Sylwadau'r Arholwr

Cwestiwn syml sy'n werth 2 farc. Mae angen meddwl yn ofalus am bob cwestiwn ac ateb. Mae angen 'ymladd' am bob marc. Y gair gorchymyn yn y cwestiwn yw 'eglurwch' a'r term allweddol yw 'bloc masnach' a ddylai fod yn rhan o'ch gwybodaeth ddaearyddol. Mae myfyriwr A yn cael 1 marc yn unig. Mae Myfyriwr B yn gwneud tri phwynt clir. Mae hefyd yn cynnwys yr Undeb Ewropeaidd fel enghraifft. Mae'n ennill marciau llawn sef 2 farc.

LLIFOLAU ARHOLIAD

1 Eglurwch ystyr globaleiddio. [2]
2 Rhowch 3 rheswm i egluro pam mae cynnydd wedi bod yn y gyd-ddibyniaeth rhwng gwledydd MEDd a gwledydd LIEDd yn ystod y blynyddoedd diweddar. [3]
3 Beth yw manteision globaleiddio i wledydd fel China sy'n datblygu'n ddiwydiannol? [6]

Thema 6: Datblygiad

Sut mae adnabod patrymau datblygiad byd-eang?

Sut mae datblygiad economaidd a chymdeithasol yn cael ei fesur?

Beth yw'r patrymau byd-eang?

Gwledydd Mwy Economaidd Ddatblygedig (MEDd): gwledydd sydd â safon uchel o fyw ac Incwm Gwladol Crynswth (*GNI – Gross National Income*) mawr.

Gwledydd Llai Economaidd Ddatblygedig (LIEDd): gwledydd sydd â safon isel o fyw a *GNI* bychan.

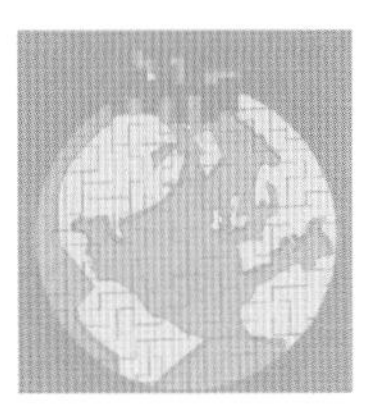

Y Pethau Pwysig

Datblygiad

Mae datblygiad yn disgrifio'r broses sy'n gwella safon byw pobl o ran cyfoeth materol ac ansawdd bywyd. Mae gwledydd yn dangos lefelau gwahanol o ddatblygiad:

- Fel arfer, mae datblygiad economaidd yn cynnwys cynnydd mewn cyflogaeth, incwm a thwf diwydiannol.
- Mae datblygiad cymdeithasol yn cynnwys cyflenwad o ddŵr glan, gwell safon byw, gwell mynediad i addysg, gwell iechyd, tai a chyfleoedd hamdden.
- Mae datblygiad amgylcheddol yn cynnwys gwella neu adnewyddu amgylcheddau naturiol.
- Mae datblygiad gwleidyddol yn cynnwys sefydlu llywodraeth sefydlog sy'n cynrychioli'r bobl.

Mesur datblygiad

Er mwyn mesur datblygiad mae'n rhaid i ddaearyddwyr fesur faint mae gwlad wedi datblygu mewn cymhariaeth â gwledydd eraill neu drwy gymharu'r un wlad â chyfnod yn y gorffennol. Defnyddir **dangosyddion** i fesur datblygiad.

Dangosyddion datblygiad economaidd	Dangosyddion datblygiad dynol
Incwm Gwladol Crynswth (*GNI*) – term arall am hyn yw *GNP* (*Gross National Product*). Mae'n mesur cyfanswm gwerth y nwyddau a gwasanaethau mae gwlad yn ei gynhyrchu mewn blwyddyn. Mae hefyd yn cynnwys incwm pobl sy'n byw tramor. ***GNI* y pen** – mae cyfanswm yr Incwm Gwladol Crynswth yn cael ei rannu gan gyfanswm y boblogaeth. **Incwm Mewnol Crynswth (*GDI*)** – term arall am hyn yw *GDP* (*Gross Domestic Product*). Mae'n mesur gwerth y nwyddau a gwasanaethau mae gwlad yn ei gynhyrchu mewn blwyddyn. **Diweithdra** – nifer y bobl sy'n methu cael swydd.	**Disgwyliad oes** – oed ar gyfartaledd y mae pobl yn byw. **Cyfradd marwolaethau babanod** – nifer y babanod am bob 1000 o enedigaethau sy'n marw cyn eu bod yn un oed. **Cyfradd doctor** – nifer y doctoriaid am bob 10,000 o bobl. **Perygl afiechyd** – canran o'r boblogaeth gydag afiechydon peryglus fel AIDS, malaria a TB. **Mynediad i addysg** – faint o bobl sy'n mynd i ysgolion a phrifysgolion. **Cyfradd llythrennedd** – canran o oedolion sy'n gallu darllen ac ysgrifennu. **Indecs Datblygiad Dynol (*HDI* – *Human Development Index*)** – cyfuniad o wahanol ddangosyddion sy'n mesur disgwyliad oes, llythrennedd oedolion, addysg a *GNI* y pen.

Patrymau datblygiad byd-eang

Gwledydd Newydd eu Diwydiannu (*NICs* – *Newly Industrialised Countries*): gwledydd sy'n gymharol newydd i dwf diwydiannol sylweddol yn y sector gweithgynhyrchu. Mae gwledydd fel De Korea a Taiwan wedi cael eu disgrifio fel gwledydd sydd ag economi 'teigr' ond mae'r twf wedi lleihau yn ystod y blynyddoedd diwethaf.

Gwledydd wedi eu Diwydiannu'n Ddiweddar (*RICs* – *Recently Industrialised Countries*): mae'n derm sy'n cael ei ddefnyddio ar gyfer twf diwydiannol diweddar iawn yn India a China.

Y Pethau Pwysig

Llinell Brandt

Ysgrifennwyd Adroddiad Brandt gan Ganghellor yr Almaen Willy Brandt yn 1980. Fe rannwyd y byd yn ddau gyda'r Gogledd cyfoethog a'r De tlawd. Fodd bynnag, mae pethau wedi newid yn sylweddol ers hynny. Mae gwledydd fel Brasil, India a China wedi datblygu'n gyflym. Mae rhai'n dadlau nad yw termau fel MEDd a LIEDd bellach yn addas i ddisgrifio gwledydd sy'n datblygu ar gyflymder gwahanol i'w gilydd. Mae Banc y Byd yn rhannu gwledydd y byd yn 4 categori o incwm: Incwm Isel, Incwm Canolig Is, Incwm Canolig Uwch ac Incwm Uchel.

Gwlad	*GNI* y pen $UDA (2008)	Cyfradd genedigaethau (am bob 1000) (2008)	Cyfradd marwolaethau (am bob 1000)	Disgwyliad oes (2008)	Nifer y bobl am pob doctor	Cyfradd llythrennedd % (2008)
Japan	38,210	8	9	83	613	100
DU	45,390	12	10	79	623	100
Brasil	7350	16	6	72	729	91
India	1070	23	8	64	2440	66
Kenya	770	39	12	54	10,000	74
Ethiopia	280	38	12	55	38,000	36

Dyma chwe gwlad a chwe chategori o wybodaeth ar gyfer pob gwlad. Bydd arholwyr yn asesu eich gallu i astudio gwybodaeth, h.y. i nodi ffeithiau a ffigurau sy'n cael eu cyflwyno i chi ar gyfer cymharu gwahanol wledydd.

Isod, mae 5 brawddeg. Mae rhai ohonyn nhw yn cynnwys y ddau sgìl y mae arholwyr yn chwilio amdanyn nhw ... a rhai nad ydyn nhw'n chwilio amdanyn nhw! Nodwch y brawddegau yn eich barn chi sy'n llwyddiannus ac ewch ati i wella'r rhai sydd ddim yn llwyddiannus.

a) Mae cyfradd genedigaethau Japan (8/1000) yn is na'r DU (12/1000).
b) Mae Brasil yn wlad dlawd gan nad ydy *GNI* y pen ond yn $7,350.
c) Mae pobl Ethiopia yn well eu byd na phobl Kenya oherwydd nifer eu doctoriaid.
ch) Mae cyfradd llythrennedd India yn llawer is na chyfradd Japan.
d) Kenya sydd â'r disgwyliad oes isaf o'r 6 gwlad.

Beth yw patrymau rhanbarthol datblygiad economaidd a/neu ddatblygiad cymdeithasol un wlad LIEDd?

Astudiaeth Achos – Ghana

- Gwlad yn Affrica Is-Sahara yw Ghana.
- Yn 2008 roedd y *GNI* yn $770 y person.
- Mae 45% o boblogaeth Ghana yn byw ar lai na $1 y dydd.
- Mae 19% o'r plant yn dioddef o brinder bwyd.
- Mae Ghana yn dioddef o raniad gogledd-de pendant.
- Mae tymor gwlyb hir yn y **de**. Mae ffermwyr yn tyfu sorghwm a choco.
- Mae tymor o lawiad ansicr yn y **gogledd**. Mae ffermwyr yn tyfu llai o gnydau. Mae llawer yn cadw geifr.
- Mae mwy o bobl yn byw yn ardaloedd trefol y de.
- Mae'r rhan fwyaf o'r bobl yn gweithio ar ffermydd. Mae llawer ohonyn nhw'n weithwyr heb eu tir hunain.
- Yn yr ardaloedd trefol mae incwm 2.5 gwaith yn uwch na'r ardaloedd gwledig. Mae hyn oherwydd twf mewn diwydiant a'r diwydiant twristiaeth.

Pa gynnydd sydd wedi bod tuag at gyflawni Cyrchnodau Datblygiad y Mileniwm?

Beth yw Cyrchnodau Datblygiad y Mileniwm? Sut mae llywodraethau a sefydliadau anllywodraethol yn ymateb?

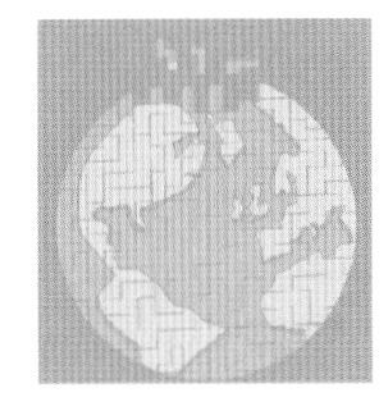

Y Pethau Pwysig

Gosododd y Cenhedloedd Unedig wyth targed ar gyfer Cyrchnodau Datblygiad y Mileniwm yn y flwyddyn 2000. Y bwriad oedd hybu datblygiad dynol.

Cyrchnod 1: Dileu tlodi a newyn eithafol

Cyrchnod 2: Sefydlu addysg gynradd i bawb

Cyrchnod 3: Hyrwyddo cydraddoldeb rhyw a rhoi grym i ferched

Cyrchnod 4: Lleihau cyfradd marwolaethau babanod/plant

Cyrchnod 5: Gwella amodau beichiogi

Cyrchnod 6: Dileu HIV/AIDS, malaria ac afiechydon eraill

Cyrchnod 7: Sicrhau amgylchedd cynaliadwy

Cyrchnod 8: Datblygu partneriaeth fyd-eang ar gyfer hybu datblygiad

Mae rhai gwledydd wedi gwneud cynnydd da. Mae eraill, yn arbennig gwledydd yn Affrica, wedi cynyddu bron ddim. Adroddodd y Cenhedloedd Unedig (UN) yn 2009 am y cynnydd hwn:

- Yn fyd-eang, gwelwyd lleihad yn nifer y bobl oedd yn byw mewn newyn. Cafwyd gostyngiad o 20% yn 1990 i 16% yn 2006.
- Mae lefelau tlodi wedi gostwng yn sylweddol yn nwyrain Asia ond mae'r datblygiad wedi bod yn araf, e.e. Affrica Is-Sahara. Yma, mae'r gyfradd tlodi yn parhau yn 50%.
- Cafwyd cynnydd yn y nifer oedd yn derbyn addysg gynradd. Gwelwyd cynnydd o 83% yn 2000 i 88% yn 2007.
- Lleihad yn nifer y plant oedd yn marw o dan 5 oed. Gwelwyd gostyngiad o 12 miliwn yn 2000 i 5 miliwn yn 2007. Mae'r ffigurau'n dal yn uchel yn Affrica Is-Sahara. Mae'r marwolaethau o falaria wedi lleihau ers dosbarthu rhwydi i'w rhoi dros y gwelyau.
- Lleihad yn nifer y marwolaethau o AIDS. Roedd nifer y marwolaethau yn 2.2 miliwn yn 2005. Mae'r nifer hwn wedi lleihau. Fodd bynnag, mae nifer y bobl sy'n byw gyda HIV ar draws y byd – 33 miliwn yn 2007 – yn parhau i gynyddu.

Cymorth

Cymorth ydy adnoddau o'r gwledydd cyfoethog yn cael eu trosglwyddo i'r gwledydd tlotaf. Mae'n cynnwys arian, offer, hyfforddiant a benthyciadau. Mae mathau gwahanol o gymorth:

- **Cymorth dwyochrol** – cytundeb rhwng dwy wlad. Mae'n golygu bod y wlad sy'n derbyn y cymorth yn gorfod gwario'r arian ar nwyddau a gwasanaethau o'r wlad sy'n rhoi'r arian.
- **Cymorth amlochrog** – arian sy'n cael ei roi gan wledydd cyfoethog drwy asiantaethau fel y Gronfa Ariannol Ryngwladol (*IMF*), y Cenhedloedd Unedig (*UN*) a Banc y Byd.
- **Cymorth brys** – arian mewn argyfwng fel newyn neu tsunami. Mae'n cynnwys bwyd, meddyginiaethau a phebyll.
- **Cymorth hirdymor** – rhaglen ar gyfer addysgu pobl ifanc dros gyfnod hirach mewn ymdrech i wella safonau byw.
- **Dileu dyled** – pryd mae gwledydd cyfoethog yn dileu dyledion gwledydd tlawd.
- **Cymorth gan gyrff anllywodraethol** – cymorth sy'n cael ei roi drwy elusennau fel *Oxfam* a *Save the Children*. Mae'r math hwn o gymorth yn cynnig cymorth mewn argyfwng neu'n noddi cynlluniau fel adeiladu ffynhonnau neu sicrhau cyflenwad o ddŵr glân.

Ewch amdani!

O blaid rhoi cymorth	Yn erbyn rhoi cymorth
A Mae cymorth brys mewn argyfwng yn arbed bywydau. B Mae cynnig cyflenwad dŵr glân yn gallu arwain at welliannau tymor hir mewn safon byw. C Mae datblygu adnoddau naturiol a chyflenwad pŵer yn hybu'r economi. Mae datblygu'r economi yn creu swyddi. Ch Mae cymorth ar gyfer amaethyddiaeth yn cynyddu'r cyflenwad bwyd. D Mae hyfforddiant meddygol yn gwella iechyd.	Dd Mae cymorth yn gallu gwneud pobl yn fwy dibynnol ar y wlad sy'n rhoi'r cymorth. E Mae dibyniaeth ar gymorth bwyd yn arafu gwelliannau mewn amaethyddiaeth. F Mae elw o brojectau mawr yn gallu mynd i gwmnïau amlwladol neu'r wlad sy'n rhoi'r cymorth. Ff Dydy'r arian ddim yn cyrraedd y bobl bob tro gyda swyddogion llwgr yn cadw'r arian. G Mae cymorth yn gallu cael ei ddefnyddio ar gyfer projectau sy'n denu sylw neu'n cael ei ddefnyddio mewn ardaloedd trefol yn hytrach na lle mae ei angen. Ng Gellir defnyddio cymorth fel lifer i osod pwysau gwleidyddol ar y wlad sy'n derbyn yr arian.

1 Ystyriwch y rhesymau o blaid ac yn erbyn rhoi cymorth. Gwnewch lun tafol bwyso (*weighing scales*) gan ddangos y manteision ar un ochr a'r anfanteision ar yr ochr arall.
2 Yna, rhowch sgôr allan o 3 ar gyfer pob un i ddangos ei werth, h.y. os ydych chi'n meddwl bod rheswm yn wych yna rhowch sgôr o 3. Rhowch un marc os ydy'n rheswm llai pwysig.
3 Ar ddiwedd y gwaith hwn adiwch y sgôr ar ddwy ochr y dafol i weld ai'r rhesymau o blaid neu'n erbyn sydd uchaf.
4 Rhestrwch rai manteision ar gyfer gwledydd sy'n rhoi'r cymorth.

Pa gynnydd sy'n cael ei wneud tuag at gyflawni Cyrchnodau Datblygiad y Mileniwm?

Adroddiad Cyrchnodau Datblygiad y Mileniwm y Cenhedloedd Unedig 2009 – de Asia

Mae datblygiad wedi bod yn arafach yn ne Asia na'r rhan fwyaf o ranbarthau'r byd. Mae'r lleihad mewn tlodi eithafol wedi gostwng o 42% i 39% sef gostyngiad o 3% yn unig. Mae rhai agweddau cadarnhaol yn Adroddiad y Cenhedloedd Unedig, e.e. cynnydd o 11% yn nifer y rhai sy'n derbyn addysg gynradd.

Mae'r canran o'r boblogaeth sydd ddim yn derbyn digon o fwyd yn ail yn unig i Affrica Is-Sahara (21% yn 2008).

Mae de Asia wedi llwyddo i gyrraedd y targed o haneru nifer y bobl sydd heb ddŵr glân. Mae 580 miliwn o bobl fodd bynnag heb garthffosiaeth ddigonol.

Mae nifer y merched sy'n dal o dan anfantais o ran cyfleoedd yn parhau er gwaethaf cynnydd mewn addysg. Dim ond 19% o swyddi cyflogedig sy'n cael eu dal gan ferched.

Mae amodau ar gyfer mamau hefyd yn ddiffygiol iawn. Roedd cyfradd marwolaethau babanod yn 2009 yn ne Asia yn 7%–11%.

Addaswyd o Adroddiad Cyrchnodau Datblygiad y Mileniwm, 2009.

Ewch amdani!

1 Darllenwch Adroddiad Cyrchnodau Datblygiad y Mileniwm ar gyfer de Asia uchod. Wedi darllen yr erthygl cuddiwch hi a phenderfynwch pa rai o'r gosodiadau isod sy'n gywir:

a) Mae'r gwaith o ddileu tlodi eithafol yn ne Asia wedi bod yn arafach na'r rhan fwyaf o ranbarthau eraill yn y byd.
b) Nid oes unrhyw lygedyn o obaith yn Adroddiad y Cenhedloedd Unedig.
c) Mae pobl de Asia yn dioddef mwy o ddiffyg maeth nag Affrica Is-Sahara.
ch) Mae de Asia wedi cyrraedd y targed a osodwyd yn y Cyrchnodau ar gyfer haneru nifer y bobl oedd heb ddŵr yn 1990.
d) Mae'r rhanbarth ar ei hôl hi o ran cynnig carthffosiaeth ddigonol ar gyfer 580 miliwn o bobl.
dd) Mae de Asia wedi gweld gostyngiad mewn tlodi eithafol o 3% sef gostyngiad o 42% i 39%.
e) Er gwaethaf rhai enillion o ran mynediad i addysg mae dynion de Asia yn parhau o dan anfantais.
f) Dim ond 19% o swyddi cyflogedig sy'n cael eu dal gan ferched.

2 Darllenwch yr erthygl eto'n ofalus a gwnewch yr ymarfer eto. Peidiwch ag anghofio cuddio'r erthygl fel bod dim modd i chi dwyllo!

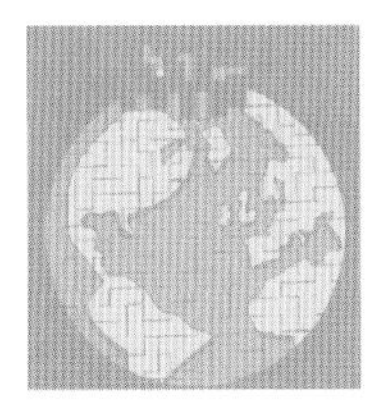

Y Pethau Pwysig

Projectau datblygu mawr

Mae nifer o wledydd LlEDd yn mynd am gynlluniau mawr er mwyn rhoi 'cic i'r economi' a'r broses ddatblygu. Mae llwyddiant datblygiad mawr o'r fath yn effeithio ar eraill ar draws y wlad – dyma'r effaith luosydd. Er enghraifft:

- adeiladu argae i roi pŵer a dŵr, e.e. Project Afon Narmada, India
- adeiladu ffyrdd fel Priffordd Traws-Amazonas.

Mae cynlluniau o'r fath yn dibynnu'n fawr ar fuddsoddiad tramor a chymorth gan eraill. Mae'r arian yn aml yn dod o sefydliadau rhyngwladol fel Banc y Byd.

Maen nhw hefyd yn gallu creu llawer o broblemau. Yn aml, mae'r arian sy'n cael ei fenthyg i wledydd LlEDd yn arwain at ddyled yn y wlad sy'n derbyn yr arian. Maen nhw hefyd yn gallu creu problemau amgylcheddol ac effeithio ar y boblogaeth leol.

Effaith luosydd – lle mae un datblygiad mawr yn gallu arwain at weithgaredd economaidd pellach mewn rhannau eraill o'r economi. Er enghraifft, mae ffatri newydd yn creu gwaith yn y ffatri ond hefyd mae'r gweithwyr yn prynu nwyddau gan eraill sy'n datblygu sectorau eraill o'r economi. Bydd angen symud nwyddau felly bydd angen gyrwyr lori. Bydd angen hyfforddi gyrwyr lori felly dyna greu mwy o swyddi ac yn y blaen ...

Astudiaeth Achos – Project Datblygu Narmada, India

- Jawaharlal Nehru, Prifweinidog India, yn ystod yr 1940au fu'n gyfrifol am y syniad.
- Dyma gynllun mawr iawn sy'n costio miliynau o ddoleri. Roedd angen adeiladu 3,200 o argaeau bach, canolig a mawr ar yr Afon Narmada. Y nod oedd cynhyrchu trydan a pharatoi cyflenwad dŵr ar gyfer datblygu'r wlad.
- Yr argae fwyaf yw Sardar Sarovar. Bu gwrthwynebiad mawr i adeiladau'r argae. Roedd Narmada Bachao Andolan (Mudiad Amddiffyn Narmada) yn dadlau y byddai 200,000 o bobl yn colli eu cartrefi ac y byddai'r ecoleg fregus yn cael ei dinistrio. Roedden nhw am amddiffyn safleoedd crefyddol a diwylliannol. Roedden nhw am osgoi boddi tir amaethyddol a choedwigoedd ac amddiffyn pysgodfeydd. Roedd ofn hefyd y byddai'r pridd yn cael ei effeithio gan halen yn ogystal â chynyddu afiechydon. Roedd rhai gwyddonwyr hefyd yn dweud y gallai adeiladu argae mawr arwain at ddaeargrynfeydd.
- Roedd y rhai o blaid yn dweud y byddai'r cynllun yn rhoi cyflenwad dŵr i 30 miliwn o bobl ac yn dyfrhau cnydau ar gyfer bwydo 20 miliwn o bobl. Byddai dŵr ar gyfer dyfrhau yn caniatáu tir ymylol ar gyfer ffermio a chyflenwad trydan rhatach (Pŵer trydan dŵr). Byddai hyn i gyd yn hybu datblygiad. Mae llawer iawn o bobl India yn byw mewn tlodi a byddai'r cynllun yn arwain at ddatblygiad diwydiannol, creu cyfoeth a lleihau dioddefaint i filiynau.
- Roedd Banc y Byd yn wreiddiol yn fodlon benthyg $450 miliwn ar gyfer y project ond oherwydd pryderon am symud pobl a difrod i'r amgylchedd penderfynwyd peidio â benthyg yr arian. Rhyddhawyd $200 miliwn gan Uwch Lys India i ddechrau ar y gwaith yn 2000.
- Yn ôl Arundhati Roy, un o wrthwynebwyr i'r cynllun, 'Mae argaeau mawr ar gyfer datblygiad yr un peth â bomiau niwclear i fyddin, sef arfau dinistriol'.

Ewch amdani!

Paratowch gerdyn astudiaeth achos ar gyfer cynllun Afon Narmada.

Pa gynnydd sy'n cael ei wneud gan wledydd Affrica Is-Sahara tuag at gyflawni Cyrchnodau Datblygiad y Mileniwm?

Adroddiad Cyrchnodau Datblygiad y Mileniwm 2009 – Affrica Is-Sahara

Mae nifer y bobl sy'n dioddef o newyn wedi lleihau o 32% ar ddechrau'r 1990au i tua 28% heddiw. Fodd bynnag nid yw'r lleihad yn ddigon i gyrraedd y targedau a osodwyd yn wreiddiol.

Mae nifer y bobl dlawd sy'n gweithio – y rhai sy'n gweithio ond sydd ddim yn ennill digon i'w codi uwchlaw lefel newyn – yn 64% o'r boblogaeth sy'n gweithio.

Merched Affrica sy'n wynebu'r gyfradd marwolaethau uchaf ymysg y rhanbarthau sy'n datblygu. Mae hanner marwolaethau mamau'r byd yn digwydd yn y rhanbarth hwn. Mae mwy na hanner y genedigaethau heb unrhyw gymorth gan staff sydd wedi derbyn hyfforddiant.

Mae nifer y plant sy'n cael eu himiwneiddio yn erbyn y frech goch wedi codi o 55% yn 2000 i 73% erbyn 2007. Mae rhwydi i atal malaria hefyd yn cyrraedd mwy o blant Affrica. Yma fe welwyd cynnydd, o 2% yn 2000 i 20% yn 2006. Ond yn 2007 roedd bron un o bob saith o blant yn marw cyn eu bod yn 5 oed.

Mae'r nifer sy'n dioddef o HIV yn lleihau gyda thriniaethau newydd. Ond mae 67% o'r rhai sy'n dioddef yn byw yn Affrica Is-Sahara. Yn 2007, roedd mwy nag un rhan o dair o achosion newydd o HIV a 38% o'r marwolaethau o AIDS yn digwydd yn Affrica.

Mae bron hanner o blant y byd sydd ddim yn mynd i'r ysgol yn byw yn Affrica Is-Sahara. Mae'r nifer yn gostwng mor araf fel ei bod yn annhebygol y bydd y targed a osodwyd yn cael ei gyrraedd erbyn 2015.

Mae cyfleusterau carthffosiaeth wedi gwella. Gwelwyd cynnydd yma o dros 80% ers 1990.

Mae cyfanswm y cymorth sy'n cael ei roi i'r rhanbarth ymhell o dan darged y Cenhedloedd Unedig o 0.7% o incwm gwladol crynswth gwlad sy'n cyfrannu.

Addaswyd o Adroddiad Cyrchnodau Datblygiad y Mileniwm, 2009

Ewch amdani!

Gwnewch gasgliad o ddiagramau i ddangos o leiaf 5 darn o wybodaeth o'r adroddiad uchod sydd yn eich barn chi yn bwysig. Peidiwch ag ysgrifennu o gwbl ar y diagramau. Bydd angen i'r diagramau sefyll ar eu pen eu hunain ... ond mae'n bosib defnyddio ffigurau.

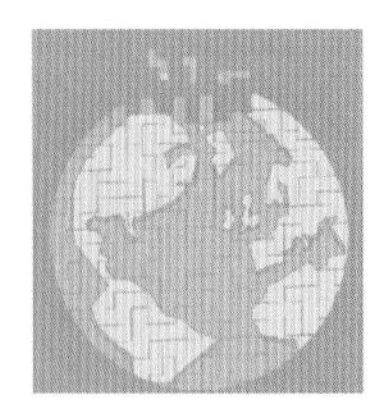

Y Pethau Pwysig

Datblygiad lleol ar raddfa fach

Mae datblygiad ar raddfa fach yn arwain at newidiadau bach. Maen nhw'n gweithio gyda'r bobl leol ac yn defnyddio sgiliau lleol. Datblygiad o'r gwaelod i fyny yw hwn. Mae datblygiadau bach yn ymateb i anghenion pob dydd pobl leol, fel dŵr glân a charthffosiaeth. Dydyn nhw ddim yn dibynnu ar fuddsoddiad mawr. Maen nhw'n aml iawn yn cael eu cefnogi gan sefydliadau anllywodraethol (*NGOs*) ac maen nhw'n defnyddio technoleg addas.

Astudiaeth Achos – Dŵr, carthffosiaeth ac addysg hylendid yn Ghana

Mae mynediad i gyfleusterau dŵr a charthffosiaeth yn Ghana yn isel yn enwedig yn yr ardaloedd gwledig. Dim ond 50% o boblogaeth Ghana sydd â mynediad i ddŵr glân.

Y brif ffynhonnell ddŵr mewn sawl ardal yn Ghana yw pyllau dŵr a ffynhonnau agored. Mae'r cyflenwad hwn yn agored i'w lygru gan greu afiechydon a salwch. Mae *Oxfam* yn gweithio gyda *WaterAid* a phartner lleol, *Rural Aid* i ddarparu ffynhonnau gyda phympiau dŵr ac i wella carthffosiaeth.

Mae Nyama Akparibo yn byw ym mhentref Asamponbisi yn nwyrain Ghana. Mae hi'n 28 oed. Mae *WaterAid* a *Rural Aid* wedi helpu i godi ffynnon yn y pentref.

'Rwyf wedi byw yn y pentref ers 15 mlynedd. Mae gennyf 3 o blant. Mae un yn 10 oed, un yn 8 oed ac un yn 6 oed. Gosodwyd y pwmp dŵr yn ei le 3 blynedd yn ôl. Fe wnaeth ein cymuned helpu 'pobl y dŵr' (*Rural Aid*) i godi'r ffynnon. Fe wnaeth y dynion y gwaith tyllu a'r merched oedd yn gyfrifol am gludo'r tywod, y cerrig a'r sment ar gyfer adeiladu. Roedden ni wir angen y ffynnon gan ein bod yn yfed dŵr budr. Roedd y dŵr yn ein gwneud yn sâl, yn enwedig y plant. Roedden ni'n dioddef o'r clefyd rhydd a phoenau yn y stumog ac roedden ni'n teimlo'n wan. Roedden ni mor wan fel ei bod yn anodd iawn gweithio. Y prif waith yma ydy gwneud basgedi.

'Roeddwn i'n arfer nôl y dŵr o'r nant fan draw. Roedd anifeiliaid yn arfer yfed yno hefyd ac roedd y dŵr yn fudr. Pan ddaeth fy mabi cyntaf roedd rhaid i mi yfed o'r nant. Roedd y ddau ohonom yn teimlo'n sâl yn aml. Bellach, dydy'r plant ddim yn dioddef o ddolur rhydd ac mae gennym ddigon o ddŵr i olchi'r plant cyn iddyn nhw fynd i'r ysgol a pharatoi bwyd ar eu cyfer. Roedd hi'n waith llafurus casglu'r dŵr o'r nant gan fod eraill yno'n barod yn llenwi eu potiau dŵr. Bellach, gallwn fynd at y pwmp lle mae digon o ddŵr ar gael bob amser.'

http://www.oxfam.org/en/development/ghana/hygiene-education © Oxfam International

Ewch amdani!

Edrychwch ar yr Astudiaeth Achos uchod. Yn 1973, ysgrifennwyd traethawd gan E.F. Schumacher, gyda'r teitl *'Small is Beautiful: Economics as If People Mattered'*. Mae llawer yn cyfeirio at y traethawd hwn fel tystiolaeth bod datblygiad bach yn rhoi grym i'r bobl yn hytrach na mynd am y mawr – 'mae'r mawr yn well' (*bigger is better*).

Ydych chi'n cytuno gyda 'mae'r bach yn wych' (*'small is beautiful'*)? Dychmygwch eich bod yn gyfrifol am raglen deledu sy'n trafod y maes hwn. Pa ddadleuon fyddai modd i'r gynulleidfa eu cynnig o blaid ac yn erbyn syniadau Schumacher?

Gwybodaeth fewnol

a) Disgrifiwch a chynigiwch resymau posibl am y berthynas rhwng Cyfradd Marwolaethau Babanod a Chyfradd *GDP* y pen fel sy'n cael ei ddangos yn Ffigur 1. [4]

Ateb enghreifftiol

Mae'r graff yn dangos mai'r isaf y GDP y pen, yr uchaf y gyfradd marwolaethau babanod✓, e.e. Sierra Leone✓ sydd â chyfradd marwolaethau uchel iawn ond cyfradd GDP isel iawn. Mae'n debyg bod hyn oherwydd bod y wlad yn dlawd, nid oes digon o arian ar gyfer gofal iechyd✓ na maethiad✓ i gadw'n iach.

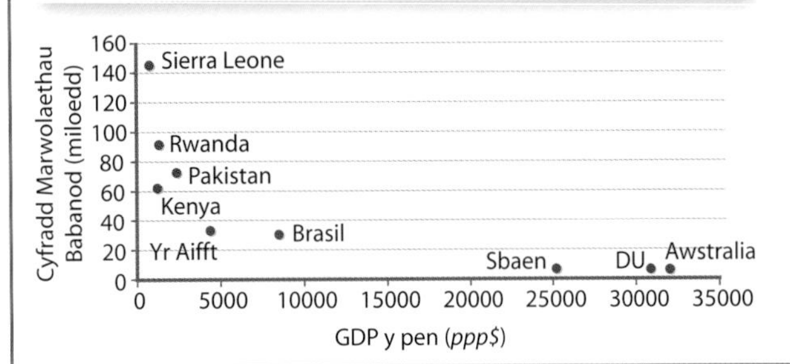

Sylwadau'r Arholwr

Mae hwn yn ateb da. Mae'r ymgeisydd yn deall y geiriau gorchymyn. Mae hefyd yn disgrifio'r berthynas cyn datblygu'r pwynt ymhellach drwy gynnig Sierra Leone fel enghraifft. Mae hyn yn rhoi 2 farc yn lle 1. Yn aml mae ymgeiswyr yn cael marciau is pan fydd dau air gorchymyn yn y cwestiwn ond mae'r ymgeisydd yma yn mynd ati i gynnig dau bwynt clir i egluro'r berthynas. Mae'r ymgeisydd yn amlwg yn deall y termau 'cyfradd marwolaethau babanod' a '*GDP*'. Rwyf hefyd wedi fy mhlesio gan y term 'maethiad'.

- Mae'n bwysig bod gennych eirfa ddaearyddol dda a'ch bod yn gallu ei defnyddio'n gywir. Os nad ydych chi'n deall y termau daearyddol yna mae'n annhebygol y byddwch yn deall y cwestiwn. Os oes gennych eirfa ddaearyddol dda byddwch yn siŵr o blesio'r arholwr gyda'ch atebion.
- Dull effeithiol o gynyddu eich geirfa ddaearyddol yw creu rhestr o dermau sy'n gysylltiedig â phob thema.

Ffigur 1 Diagram gwasgariad ar gyfer Cyfradd Marwolaethau Babanod a *GDP* y pen

Indecs Datblygiad Dynol (*Human Development Index – **HDI***): Mae'r Indecs hwn yn defnyddio disgwyliad oes, llythrennedd, blynyddoedd mewn addysg ac incwm y pen i fesur datblygiad. Mae'r Indecs â graddfa rhwng 0–1.

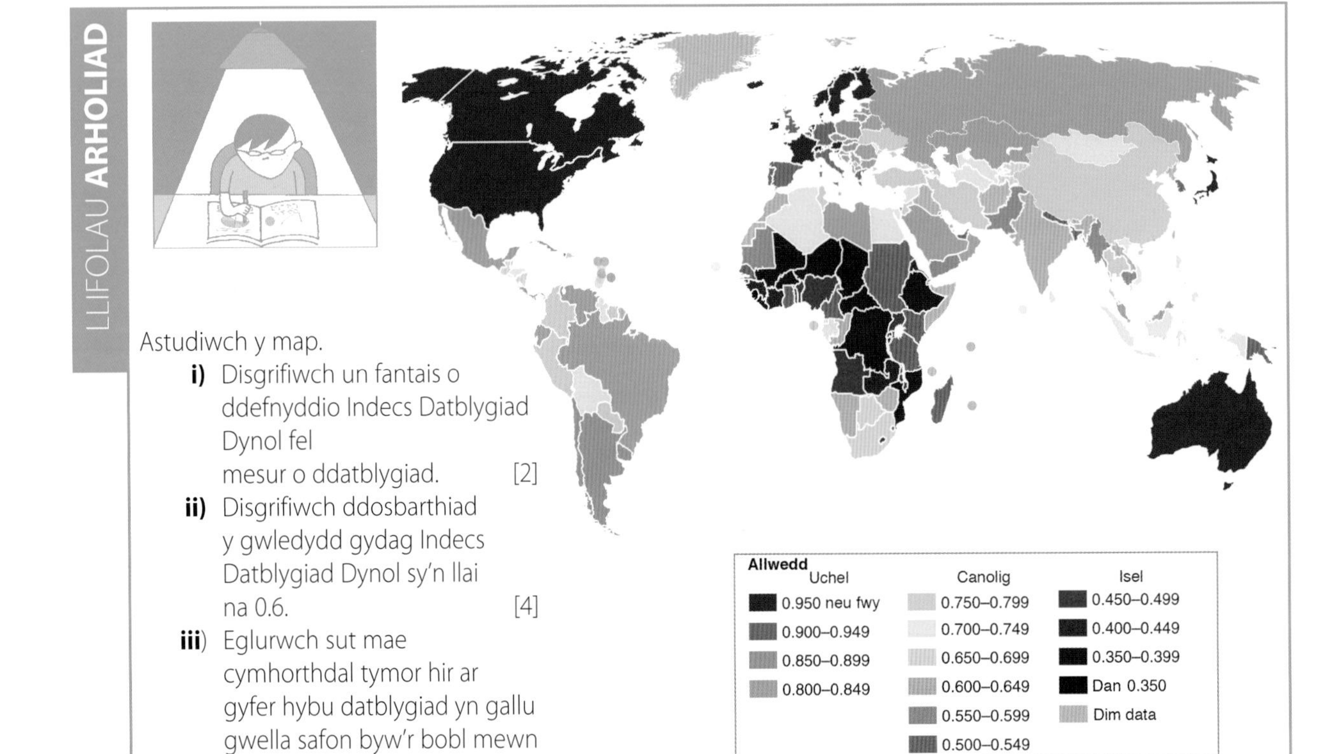

Astudiwch y map.

i) Disgrifiwch un fantais o ddefnyddio Indecs Datblygiad Dynol fel mesur o ddatblygiad. [2]

ii) Disgrifiwch ddosbarthiad y gwledydd gydag Indecs Datblygiad Dynol sy'n llai na 0.6. [4]

iii) Eglurwch sut mae cymhorthdal tymor hir ar gyfer hybu datblygiad yn gallu gwella safon byw'r bobl mewn gwledydd gydag Indecs Datblygiad Dynol isel. [6]

Ffigur 2 Indecs Datblygiad Dynol

Thema 7: Ein Morlin Newidiol

Beth ydy'r prosesau arfordirol a pha dirffurfiau sy'n cael eu ffurfio?

Pa brosesau sy'n gysylltiedig â'r môr?

Y Pethau Pwysig

- Wrth i wynt chwythu ar draws arwyneb y môr mae tonnau yn cael eu creu.
- Mae gwyntoedd cryfion yn creu **tonnau dinistriol** sy'n erydu'r arfordir.
- Mae gwyntoedd ysgafn yn creu **tonnau adeiladol** sy'n dyddodi dyddodion.
- **Cyrch** yw'r pellter rhwng lle mae'r tonnau yn cael eu creu a lle maen nhw'n torri ar yr arfordir.
- Mae tonnau yn **torri** wrth iddyn nhw ddod i ddŵr bas.
- Dŵr sy'n symud i fyny'r traeth ydy **torddwr**. Y **tynddwr** sy'n llifo i lawr y traeth yn ôl i'r môr.

Erydiad	Cludiant	Dyddodiad
Gweithred hydrolig: grym y tonnau yn taro yn erbyn y clogwyni. Aer yn cael ei garcharu mewn craciau ac yn malu'r graig. **Sgrafelliad** (enw arall ar y broses ydy cyrathiad): tonnau yn hyrddio tywod a cherigos (*pebbles*) at y clogwyn, sy'n treulio'r tir. **Cyrydiad**: heli'r môr yn hydoddi creigiau calsiwm carbonad, e.e. calchfaen. **Athreuliad**: cerigos yn taro yn erbyn ei gilydd, gan eu treulio'n ronynnau mwy crwn, gan ffurfio tywod yn y pendraw.	Prifwyntoedd yn chwythu ar ongl tua'r arfordir. Pan fydd y don yn torri, mae'r torddwr yn cludo mwd a thywod i fyny'r traeth ar ongl. Mae disgyrchiant yn tynnu'r dyddodion i lawr y traeth yn y tynddwr. Mae pob ton yn ailadrodd y symudiad yma gan symud dyddodion ar hyd yr arfordir. Proses sy'n cael ei galw yn **ddrifft y glannau**.	Mae traethau o dywod a graean bras yn cael eu ffurfio gan nad oes digon o egni gan donnau adeiladol i symud dyddodion.

Ewch Amdani!

1 Defnyddiwch y dull 'cuddio a datgelu' ar gyfer y 4 math o erydiad, h.y. darllenwch y wybodaeth, cuddiwch yr hyn rydych wedi'i ddarllen, yna ceisiwch ailysgrifennu'r wybodaeth. Gwnewch hyn dro ar ôl tro hyd nes y bydd y cyfan ar eich cof.

2 Casglwch bethau fel darn o linyn, sbageti sych, carreg fach a darn o bapur a phensil. Nawr, defnyddiwch y rhain i egluro proses gludiant drifft y glannau i ffrind. Ceisiwch osgoi defnyddio papur a phensil os yn bosib. Pwrpas y gweithgaredd ydy dangos symudiad, yn hytrach nag ysgrifennu amdano.

Pa dirffurfiau sy'n cael eu ffurfio gan y prosesau hyn?

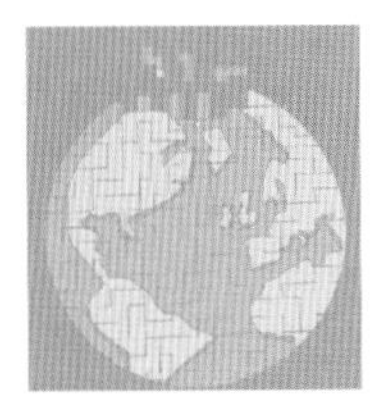

Y Pethau Pwysig

Clogwyni a llyfndir tonnau

- Clogwyn ydy wyneb serth o graig.
- Mae tonnau'n creu 'rhic' sef toriad ar waelod y clogwyn rhwng y penllanw a'r distyll.
- Mewn amser mae'r clogwyni yn cael eu tandorri gan achosi iddyn nhw ddisgyn ac mae'r arfordir yn encilio.
- Mae'r broses hon yn cael ei hailadrodd gan greu llwyfan creigiog – **llyfndir tonnau**.

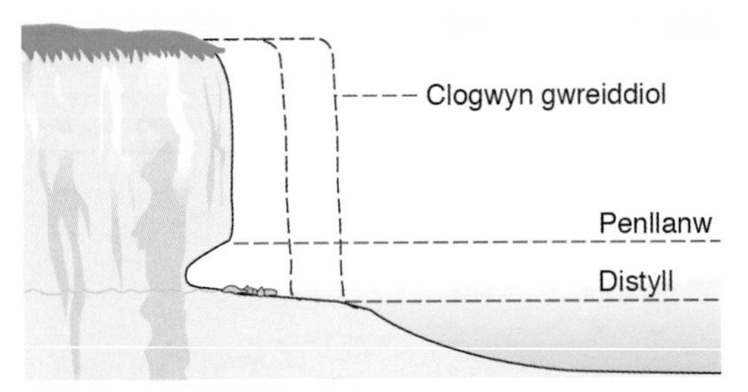

Ffigur 1 Clogwyn yn encilio

Ewch Amdani!

Anodwch Ffigur 1 i egluro ffurfiant llyfndir tonnau.

Pentir a Bae

- **Pentir** yw darn o dir sy'n gwthio allan i'r môr. Mae wedi ei ffurfio o graig galed a mwy gwydn.
- **Bae** yw darn o fôr rhwng dau bentir. Mae traeth yn ffurfio mewn bae cysgodol.

Ogof, bwa, stac a stwmp

Dyma'r tirffurfiau sy'n cael eu creu gan erydiad:

- Mae **ffawtiau** naturiol yn y penrhyn yn cael eu herydu gan y môr.
- Bydd y ffawtiau yn ehangu i ffurfio craciau ac yna i ffurfio **ogof**.
- Mae ogofâu yn aml yn ffurfio ar ddwy ochr pentir cyn torri trwodd i ffurfio **bwa**.
- Mae'r bwa yn cael ei hindreulio a'i erydu hyd nes y mae'n disgyn gan adael darn o graig ar wahân sef **stac**.
- Mae'r stac yn cael ei erydu gan adael ei waelod yn unig – dyma'r **stwmp**.

Traeth, tafod a bar

- Mae tonnau adeiladol yn gyfrifol am ddyddodi tywod, graean bras a cherigos i ffurfio **traeth**.
- Mae drifft y glannau yn cludo dyddodion y traeth ar hyd yr arfordir. Pan fydd yr arfordir yn newid cyfeiriad, e.e. aber afon, mae'r dyddodion yn cael eu cludo allan i'r môr. Mae hyn yn creu darn newydd o dir – **tafod**.
- Bydd pen y tafod yn aml ar siâp bachyn os ydy'r gwynt yn chwythu o gyfeiriad gwahanol. Mae silt yn cael ei ddyddodi yn y dŵr cysgodol a bydd **morfa heli** yn cael ei ffurfio fel Spurn Head ar lannau Afon Humber.
- Mae **bar** yn debyg i'r tafod ond mae'n ffurfio ar draws y bae o bentir i bentir, e.e. bar tywod yn Slapton Ley, Dyfnaint.
- Hefyd mae **tombolo** yn debyg i'r tafod ond mae'n cysylltu'r tir mawr ag ynys gyfagos, e.e. Traeth Chesil, Dorset.

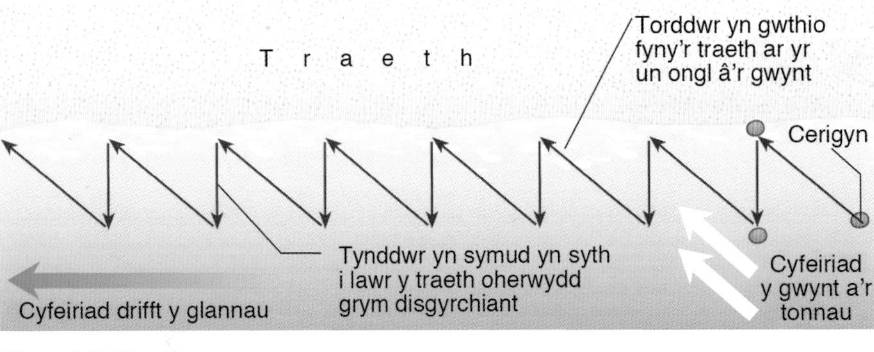

Ffigur 2 Drifft y Glannau

Hindreuliad: malu neu ddadelfennu'r creigiau. Mae tri math gwahanol o hindreuliad: **hindreuliad ffisegol** gan gynnwys 'rhewi-dadmer', **hindreuliad cemegol** sy'n ffurfio rhwydwaith o ogofâu mewn creigiau calchfaen a **hindreuliad biolegol**.

Astudiaeth Achos – Arfordir Dorset

Mae Dorset yn enwog am ei arfordir trawiadol a'i glogwyni o greigiau Jwrasig. Mae'n un o Safleoedd Treftadaeth Y Byd, ac yn cynnwys trefi gwyliau Bournemouth a Weymouth. Yn gwthio allan i'r Sianel mae ynys o graig galchfaen sef Ynys Portland. Mae Traeth Chesil yn cysylltu'r ynys hon gyda'r tir mawr – yr enw ar y tirffurf hwn yw tombolo.

Mae'r tirffurfiau eraill ar arfordir Dorset yn cynnwys:

- Creigiau calchfaen gwydn a sialc sy'n ffurfio'r pentiroedd.
- Mae baeau yn cael eu ffurfio lle mae'r clai meddalach.
- Mae traethau yn y baeau cysgodol.
- Staciau enwog fel 'Old Harry'.
- Mae Cilfach Lulworth wedi'i ffurfio wrth i'r môr dorri drwy'r calchfaen caled.
- Bwâu naturiol fel Durdle Door.

Ffigur 3 Durdle Door

Ewch amdani!

1. Heb ailddarllen y wybodaeth yn yr adran hon, ceisiwch restru'r prosesau arfordirol a'r tirffurfiau rydych wedi'u hadolygu. Wedi i chi wneud hyn, edrychwch yn ôl ar y wybodaeth ar y tudalennau blaenorol i weld faint ydych chi wedi'i gofio a'i gofnodi'n gywir.
2. Gwnewch ddiagram wedi'i labelu ar gyfer pob un o'r tirffurfiau arfordirol rydych wedi'u rhestru.
3. Dewiswch unrhyw 5 peth o'ch cas pensiliau. Defnyddiwch nhw i egluro pob un o'r prosesau arfordirol yn yr adran hon. Cofiwch mai 'gwneud' pethau yn y ffordd yma sy'n help i chi ddeall yn well yr hyn sy'n digwydd. Mae hyn yn helpu'r cof ac yn eich helpu chi i ddeall y wybodaeth.
4. Ewch ati i wneud cerdyn adolygu (maint cerdyn post) i'ch helpu i adolygu astudiaeth achos Arfordir Dorset. Cofiwch gynnwys map lleoliad, geiriau allweddol a diagramau.

Sut mae'r tirffurfiau a'r prosesau hyn yn effeithio ar fywydau pobl sy'n byw ar hyd yr arfordir?

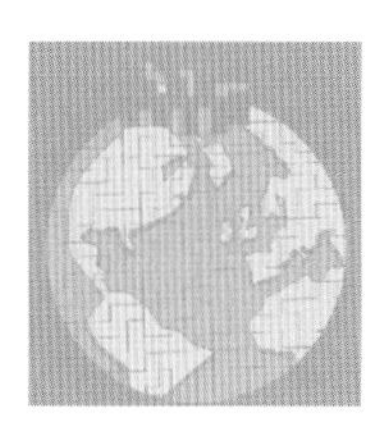

Y Pethau Pwysig

Mae mwy na 17 miliwn o bobl y DU yn byw o fewn 10 km i'r arfordir. Mae 40% o ddiwydiannau gweithgynhyrchu'r DU hefyd naill ai ar neu ger yr arfordir. Mae prosesau arfordirol a'r tirffurfiau sy'n cael eu ffurfio yn mynd i effeithio ar nifer mawr o bobl. Mae'r bobl sy'n debygol o gael eu heffeithio yn cynnwys:

- Pobl sy'n byw yn yr ardal
- Grwpiau amgylcheddol
- Diwydianwyr
- Cynghorau lleol
- Llywodraeth genedlaethol
- Asiantaethau twristiaeth
- Awdurdodau'r parciau cenedlaethol, e.e. Parc Cenedlaethol Arfordir Penfro

Mae'r materion pwysig yn yr ardaloedd arfordirol yn cynnwys:

- Erydiad yn fygythiad i aneddiadau gerllaw'r môr.
- Cynlluniau i sefydlu cynlluniau i ddenu ymwelwyr.
- Canolfannau gwyliau traddodiadol yn dirywio.
- Pobl am godi tai mewn ardaloedd arfordirol deniadol.
- Perygl gorlifo os yw lefel y môr yn codi.
- Problem llygredd a/neu broblem carthffosiaeth.

Mae pawb â'u barn eu hunain am yr hyn y dylid ei wneud i amddiffyn a rheoli ardaloedd arfordirol.

Ewch amdani!

Gwnewch ' fap meddwl' ar gyfer adolygu sut mae prosesau a thirffurfiau arfordirol yn gallu effeithio ar fywydau pobl.

Sut mae arfordiroedd yn cael eu rheoli?

Beth yw manteision ac anfanteision strategaethau peirianneg galed a pheirianneg feddal?

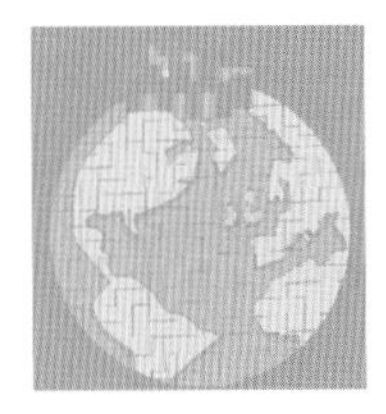

Y Pethau Pwysig

Mae'n rhaid rheoli amgylcheddau arfordirol er mwyn:

- amddiffyn gweithgareddau dynol rhag erydiad a llifogydd
- amddiffyn cynefinoedd a safleoedd treftadaeth pwysig.

Peirianneg galed	Peirianneg feddal
Mae'r dull hwn yn defnyddio adeiladwaith neu beiriannau i reoli prosesau arfordirol. Maen nhw'n tueddu i fod yn gynlluniau drud a thymor byr gydag effaith ddwys ar y tirwedd neu'r amgylchedd. Maen nhw hefyd yn tueddu i fod yn anghynaliadwy. Mae enghreifftiau yn cynnwys: **Morglawdd**: waliau concrit i dorri ar rym y tonnau ac osgoi gorlifo. **Grwyni**: rhwystrau pren (gan amlaf) wedi'u codi i lawr y traeth. Maen nhw'n rhwystro drifft y glannau rhag symud tywod o'r traeth. Mae traeth mwy llydan yn amsugno egni'r tonnau. ***Rip rap***: cerrig caled mawr yn amsugno egni'r tonnau. **Basgedi dur**: basgedi mawr o wifrau dur gyda cherrig y tu mewn iddyn nhw. Maen nhw'n amsugno egni'r tonnau.	Mae hyn yn golygu gweithio gyda natur. Mae'n gallu bod yn rhatach ac mae'r effeithiau'n gallu bod yn fwy tymor hir. Mae cynlluniau cynaliadwy hefyd yn gallu cael llai o effaith ar yr amgylchedd. Maen nhw'n cynnwys: **Adnewyddu'r traeth**: mae dyddodion o'r traeth yn cael eu cyfnewid gan dywod o ardaloedd eraill ar hyd yr arfordir neu o wely'r môr. **Encilio dan reolaeth**: caniatáu i rannau o'r arfordir gael eu herydu a'u gorlifo'n naturiol. Gan amlaf, nid oes llawer o werth i'r ardaloedd hyn.

Ewch amdani!

1. Mae manteision ac anfanteision peirianneg galed a pheirianneg feddal yn cael eu nodi isod.
2. Ewch ati i gwblhau'r diagram Venn isod drwy osod y rhifau sy'n cyd-fynd â'r gosodiadau yn eu lleoedd cywir. Peidiwch â defnyddio'r un rhif fwy nag unwaith.
3. Penderfynwch pa un ai peirianneg galed neu feddal ydy'r dewis gorau. Cofiwch dydy pob mantais neu anfantais ddim â'r un gwerth. Dydy'r ffaith bod yna fwy o fanteision nag anfanteision ar gyfer peirianneg galed ddim yn golygu eu bod yn well na pheirianneg feddal gan fod yr anfanteision yn gallu bod yn llawer mwy pwysig.

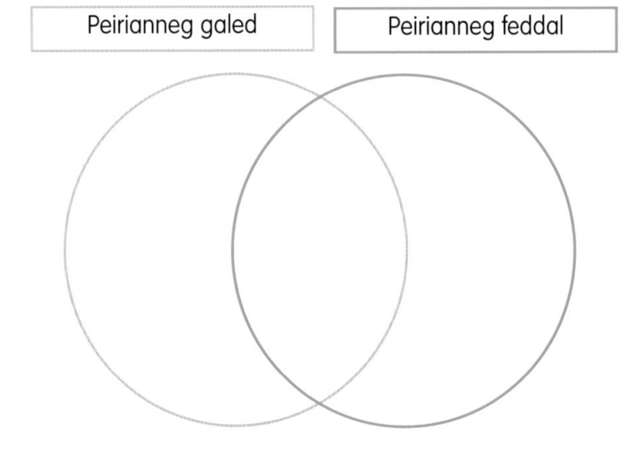

Manteision	Anfanteision
1 Maen nhw'n effeithiol iawn. **2** Mae rhai ag ychydig o effaith ar weddill yr arfordir. **3** Mae rhai'n hawdd eu codi. **4** Gan amlaf nid oes adeiladu costus. **5** Maen nhw'n gweithio gyda'r prosesau naturiol. **6** Mae rhai'n gallu bod yn effeithiol am gyfnod hir. **7** Mae rhai'n gallu bod yn rhad.	**8** Maen nhw'n gallu bod yn hyll. **9** Maen nhw'n ddrud iawn fel arfer. **10** Mae rhai yn ddulliau newydd o weithredu a phrin ydy'r wybodaeth am eu llwyddiant. **11** Mae carthu (*dredge*) gwely'r môr gerllaw'r arfordir yn gallu newid cyfeiriad y tonnau a chreu erydiad yn is i lawr yr arfordir. **12** Mae rhai o'r defnyddiau adeiladu a'r dulliau adeiladu yn gallu bod yn ddrud. **13** Mae rhai yn hawdd eu herydu gan y tonnau.

Sut dylai amgylcheddau'r arfordir gael eu rheoli yn y dyfodol?

Pam mae lefelau'r môr yn newid? Sut bydd y newidiadau hyn yn effeithio ar pobl?

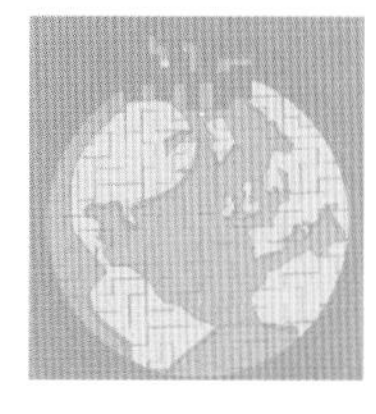

Y Pethau Pwysig

Mae'n debygol y bydd cynhesu byd-eang yn arwain at godiad yn lefelau'r môr am fod y capiau iâ yn toddi. Bydd hyn yn achosi llifogydd mewn llawer o ardaloedd arfordirol isel yn y byd.

Astudiaeth Achos – *Thames Gateway*

Bwriad y project hwn yw adeiladu 160,000 o dai fforddiadwy ar draws de-ddwyrain Lloegr erbyn y flwyddyn 2016. Bydd llawer o'r tai yn cael eu hadeiladu ar 'safleoedd tir llwyd' ond ardaloedd sydd mewn perygl o ddioddef llifogydd. Bydd y project hefyd yn creu 225,000 o swyddi newydd.

Mae cynllunwyr wedi mabwysiadu cynllun fydd yn edrych ar y broblem ar draws y rhanbarth i gyd. Y bwriad ydy cael gwared â'r syniad o amddiffyn llwyr ond yn hytrach mabwysiadu amddiffynfeydd fel codi argloddiau pridd. Bydd y rhain yn cael eu gosod rhwng y tai a'r afon. Bydd creu grisiau ac amddiffynfeydd yn caniatáu i'r afon godi fesul gris.

Mae Asiantaeth yr Amgylchedd yn dweud bod gosod cynlluniau rheoli yn eu lle yn gynnar yn bwysig. Mae cwmnïau yswiriant yn dweud ei bod yn synhwyrol codi amddiffynfeydd cyn adeiladu. Fodd bynnag, mae Cyfeillion y Ddaear yn amau a fydd unrhyw un yn prynu'r tai pan fydd lefelau'r môr yn codi oherwydd cynhesu byd-eang.

Ewch amdani!

1 Dychmygwch mai chi ydy'r Cadeirydd mewn cyfarfod sy'n trafod cynllun y *Thames Gateway*. Mae cynrychiolwyr o'r adeiladwyr, y llywodraeth, Cyfeillion y Ddaear, Asiantaeth yr Amgylchedd, cwmnïau yswiriant a'r cyhoedd yn y cyfarfod. Beth am grynhoi teimladau pob un o'r cynrychiolwyr cyn dod i benderfyniad a ddylai'r cynllun fwrw ymlaen ai peidio. Cofiwch gyfiawnhau eich penderfyniad.

2 Edrychwch ar y brawddegau isod. Nodwch pa dair brawddeg sydd yn eich barn chi yn gywir:

- **a)** Mae'r amcangyfrifon diweddaraf o Raglen Effeithiau Hinsawdd y DU yn awgrymu y bydd dwyrain Lloegr yn gweld cynnydd o 40 cm yn lefelau cymharol y môr erbyn 2050.
- **b)** Mae'r amcangyfrifon diweddaraf o Raglen Effeithiau Hinsawdd y DU yn awgrymu y bydd dwyrain Lloegr yn gweld cynnydd o 100 cm yn lefelau cymharol y môr erbyn 2050.
- **c)** Efallai y bydd lefel y môr ar arfordir dwyreiniol Lloegr wedi codi 80 cm erbyn 2080.
- **ch)** Bydd nifer y tai sy'n debygol o gael eu heffeithio gan lifogydd yn nwyrain Lloegr yn cynyddu 48% o 270,000 i 404,00 yn dilyn codiad yn lefel y môr o 40 cm.
- **d)** Bydd nifer y tai sy'n debygol o gael eu heffeithio gan lifogydd yn nwyrain Lloegr yn cynyddu 25% o 270,000 i 404,00 yn dilyn codiad yn lefel y môr o 40 cm.

Wrth i ni wynebu codiad yn lefelau'r môr beth yw'r ffordd fwyaf cynaliadwy o reoli ein harfordir?

Mae nifer yn dadlau bod angen cynllun strategol i reoli ein harfordiroedd. Mae angen i bawb gydweithio â'i gilydd i wneud penderfyniadau synhwyrol a thymor hir ar sut orau i reoli'r arfordir.

Bydd angen iddyn nhw ystyried amddiffyn yr arfordir rhag llifogydd yn y dyfodol. Bydd angen ystyried adleoli pobl o'u cartrefi neu golli tir amaethyddol.

Ewch amdani!

1 Mae tri awgrym ar sut orau i reoli'r arfordir yn y dyfodol. Ystyriwch fanteision ac anfanteision pob un ohonyn nhw.
   - **a)** Adeiladu wal amddiffynnol uchel i amddiffyn y mannau mwyaf bregus. Dylid defnyddio poteli plastig sydd wedi'u hailgylchu ar gyfer adeiladu'r wal.
   - **b)** Mewnforio tywod o'r Sahara er mwyn adeiladu twyni tywod ar hyd yr arfordir.
   - **c)** Gadael i'r arfordir encilio. Byddai hyn yn golygu torri twll yn yr amddiffynfeydd presennol a gadael i'r tir foddi'n naturiol rhwng y penllanw a'r distyll.

2 Beth yn eich barn chi ydy'r ffordd orau i reoli'r arfordir yn y dyfodol?

Astudiaeth Achos – Arfordir Cymru

Newyddion BBC – Galw am weithredu i amddiffyn arfordir sy'n diflannu

Dydd Mawrth, 13 Chwefror 2007

Mae gofyn gweithredu ar frys i leihau effeithiau erydiad gan y tonnau a gorlifo yng Nghymru.

Yn ôl yr Ymddiriedolaeth Genedlaethol mae tri chwarter o arfordir Cymru sy'n eiddo i'r Ymddiriedolaeth yn debygol o gael ei niweidio yn ystod y ganrif nesaf. Yn ôl rhai arbenigwyr, bydd lefelau'r môr yn codi cymaint â metr a bydd cynhesu byd-eang yn arwain at stormydd garw.

Yn ôl yr Ymddiriedolaeth roedden nhw'n edrych am ffyrdd newydd o ymateb i'r broblem. Roedd angen 'gweithredu ar frys i osod cynlluniau tymor hir a fyddai'n ymateb i'r cynnydd yn lefel y môr yn y dyfodol'.

'Does neb yng Nghymru yn byw mwy na 50 milltir o'r môr. Mae twristiaeth hefyd yn hynod ddibynnol ar ein harfordir gwych.

Fel y Brenin Canute, does neb yn gallu rheoli'r môr a'i orfodi i encilio. Yn hytrach, mae'n rhaid i ni gynllunio ac addasu i ddyfodol lle mae'r môr yn symud i mewn i'r tir. Y cam cyntaf ydy creu ymwybyddiaeth o'r hyn sydd o'n blaenau. Fe ddylai hyn ein gwneud yn fwy ymwybodol bod angen lleihau olion traed carbon yn ogystal â darparu ar gyfer y newidiadau sydd i ddod ar hyd yr arfordir'.

'Os ydyn ni am lwyddo yna mae'n rhaid i ni feddwl yn greadigol am sut i reoli'r arfordir a gwneud yn siŵr bod y gymdeithas gyfan yn rhan o'r broses honno.'

Newyddion BBC: http://news.bbc.co.uk/1/hi/wales/6356073.stm

Ewch amdani!

1 Darllenwch yr eitem newyddion uchod cyn penderfynu pa rai o'r gosodiadau isod sy'n gywir. Wedi i chi orffen darllen cuddiwch yr erthygl fel nad ydych yn gweld pa atebion sy'n gywir.
   - **a)** Gallai chwarter arfordir Cymru gael ei effeithio'n arw yn ystod y ganrif nesaf.
   - **b)** Bydd lefelau'r môr yn codi un metr a bydd cynhesu byd-eang yn arwain at stormydd garw.
   - **c)** Nid oes neb yng Nghymru yn byw mwy na 5 milltir o'r arfordir.
   - **ch)** Mae'n rhaid i ni gynllunio sut orau i addasu ar gyfer moroedd sy'n encilio.
   - **d)** Rydym yn gallu rheoli'r moroedd a'u gorchymyn i encilio.
   - **dd)** Mae'n rhaid i ni wneud yn siŵr ein bod yn siarad â'r gymdeithas gyfan am y broses.
   - **e)** Mae angen i ni feddwl yn greadigol am sut orau i reoli'r arfordir.

2 Darllenwch yr erthygl yn ofalus eto cyn gwneud yr ymarfer eto. Cofiwch guddio'r erthygl yn ystod yr ymarfer.

Gwybodaeth fewnol

Eglurwch sut mae pentiroedd a baeau yn cael eu ffurfio. Gallwch ddefnyddio'r diagram isod ar gyfer ychwanegu gwybodaeth newydd i 'ch helpu gyda'r ateb. [6]

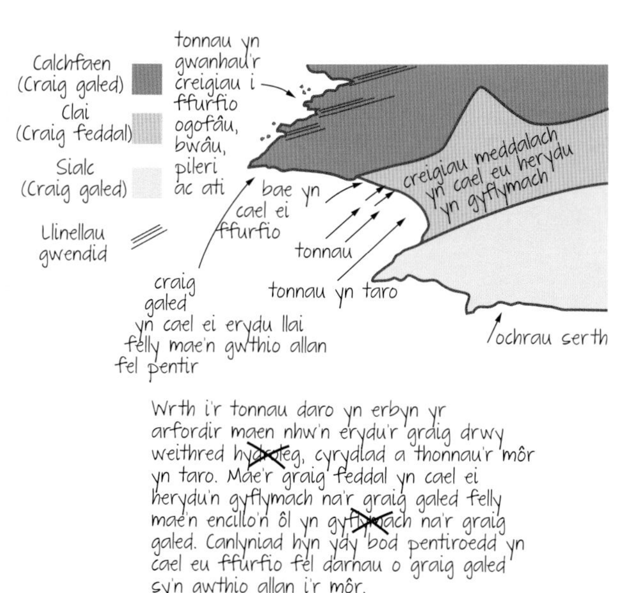

Ffigur 4 Ateb myfyriwr

Sylwadau'r arholwr

Y gair gorchymyn yn y cwestiwn ydy **eglurwch** a'r geiriau allweddol ydy **pentiroedd** a **baeau**. Er bod y cwestiwn ond yn dweud y 'gallwch' ychwanegu gwybodaeth newydd i'r diagram, rydych yn siŵr o blesio'r arholwr drwy wneud hynny ... a chael gwell marc. Mae hwn yn ateb da. Mae'r myfyriwr yn deall yn iawn sut mae pentiroedd a baeau yn ffurfio. Mae'r prosesau arfordirol wedi'u nodi ac mae wedi ychwanegu'r wybodaeth honno ar y diagram. Fodd bynnag, dydy'r ymgeisydd heb gynnwys manylion ar sut mae'r prosesau hyn yn gweithio. Mae'r ymgeisydd hefyd wedi camsillafu 'hydrolig' ac wedi defnyddio'r term 'tonnau yn taro' yn anghywir. Mae'n ateb Lefel 3 ond dydy'r ateb ddim yn haeddu 6 marc. Byddwn yn rhoi 5 marc.

LLIFOLAU **ARHOLIAD**

a) Astudiwch y Map Ordnans isod a gwnewch fraslun bras o'r ardal.

i) Marciwch gyda saeth bedwar tirffurf sydd wedi'u ffurfio o ganlyniad i erydiad arfordirol. [3]

ii) Eglurwch ffurfiant stac. Gallwch wneud diagram i'ch helpu. [6]

b) Eglurwch y gwahaniaethau rhwng defnyddio peirianneg feddal a pheirianneg galed i amddiffyn yr arfordir. [3]

c) Rhowch fanteision ac anfanteision un dull o amddiffyn yr arfordir. [4]

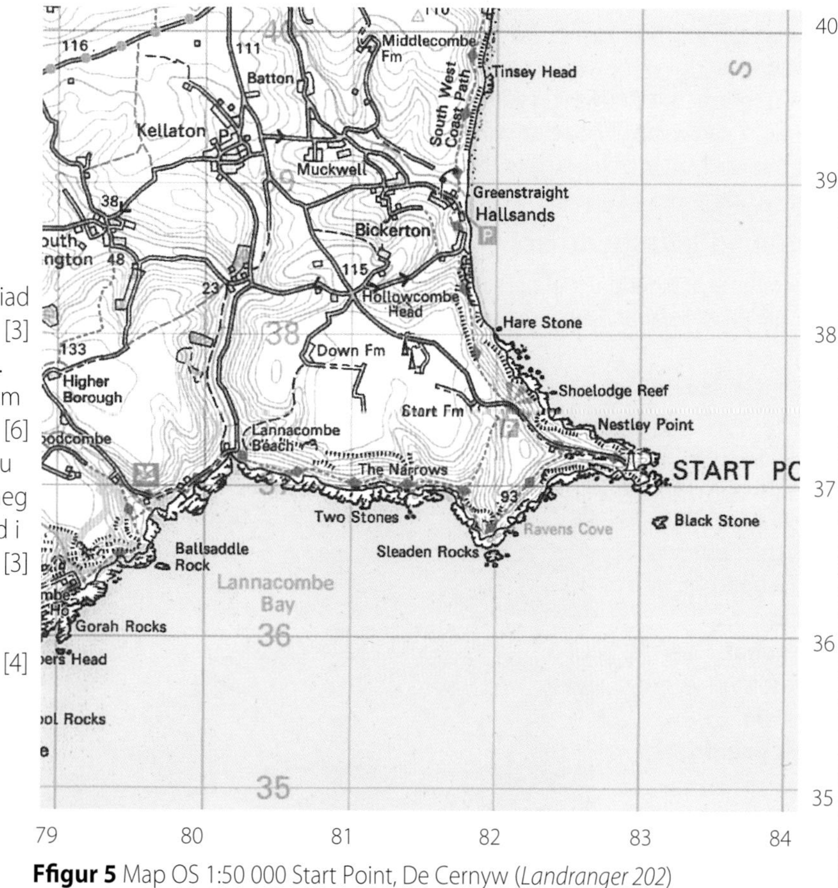

Ffigur 5 Map OS 1:50 000 Start Point, De Cernyw (*Landranger 202*)

Sut mae hinsawdd o fewn y DU yn gwahaniaethu?

Beth yw'r ffactorau sy'n creu'r amrywiadau mewn tywydd a hinsawdd o fewn ac o gwmpas gwledydd Prydain?

Y Pethau Pwysig

Mae tywydd gwledydd Prydain yn gyfnewidiol iawn gan fod cymaint o ffactorau yn effeithio ar yr atmosffer pob dydd. Y ffactor pwysicaf yw'r gwahaniaethau rhwng gwasgedd aer uchel a gwasgedd aer isel. Mae cyfeiriad y gwynt, uchder y tir a'r adeg o'r flwyddyn i gyd yn ffactorau pwysig iawn.

Tywydd: yr amodau atmosfferig sy'n bodoli mewn lle penodol a'r adeg benodol yn ogystal â'r newidiadau sy'n digwydd yn y tymor byr. Mae amodau'r tywydd yn cynnwys tymheredd, dyodiad, gwynt, cymylau a heulwen.

Systemau gwasgedd isel

Mae **diwasgedd** yn creu tywydd gwlyb gyda chymylau a gwynt. Mae'r systemau gwasgedd isel yn aml yn ffurfio yng Nghefnfor Iwerydd ac yna'n symud i'r dwyrain tuag at wledydd Prydain. Y rhain sy'n gyfrifol am dywydd cyfnewidiol iawn a glaw ffrynt.

- Ar y ffrynt cynnes, mae aer ysgafnach a chynhesach o'r de yn cyfarfod aer oerach o'r gogledd ac yn codi drosto. Wrth i'r aer cynnes godi'n araf, mae'n oeri ac mae'r cynnwys dŵr yn cyddwyso gan greu cymylau. Mae hyn yn creu glaw cyson.
- Y tu ôl i'r ffrynt cynnes mae ardal o aer cynnes sy'n codi yn ogystal â gwasgedd aer isel. Wrth i'r rhan hon o'r diwasgedd symud heibio mae'n bosib y bydd cyfnod o dywydd clir a sych.
- Ar y ffrynt oer, mae aer oerach a thrymach yn cyfarfod aer cynnes yng nghanol y diwasgedd gan ei dandorri a'i orfodi i godi yn sydyn. Wrth i'r aer cynnes godi mae'n oeri ac mae'r dŵr yn cyddwyso a chymylau yn ffurfio. Y canlyniad yw glaw trwm.
- Mae cawodydd yn dilyn y glaw trwm gydag awyr las wrth i'r ffrynt oer symud tua'r dwyrain.

Systemau gwasgedd uchel

Mae system gwasgedd uchel neu antiseiclon yn rhoi awyr glir. Mae gwahaniaethau mawr rhwng yr haf a'r gaeaf.

- Dim cymylau na glaw gan fod yr aer yn suddo yn lle codi . Gan fod yr aer yn suddo mae'n cynhesu ac mae'n gallu dal mwy o ddŵr.
- Gwyntoedd ysgafn iawn gan fod y gwahaniaethau gwasgedd aer yn fychan.
- Yn yr **haf**, mae antiseiclon yn golygu tywydd poeth a sych. Yn y **gaeaf**, mae'r awyr glir yn creu rhew a nosweithiau oer.
- Mae **antiseiclonau yn y gaeaf** yn gallu creu niwl wrth i'r oerfel wthio'r gwlybaniaeth yn yr aer i gyddwyso ar dir isel.
- Mae **antiseiclonau yn yr haf** yn achosi i'r tymheredd godi ac yn achosi i swigod o aer godi'n gyflym. Mae hyn yn arwain at law darfudol a stormydd o fellt a tharanau.

Glawiad

Rydym yn defnyddio'r term **dyodiad** i ddisgrifio pob math o wlybaniaeth sy'n cyrraedd y ddaear o'r awyr. Mae hyn yn digwydd pan fo aer yn codi. Gall ddigwydd mewn 3 ffordd wahanol – er ein bod ni yng ngwledydd Prydain yn derbyn mwy o law **ffrynt** a glaw **tirwedd** na glaw **darfudol**.

- Mae glaw tirwedd yn digwydd pan fo'r prifwyntoedd yn chwythu o'r de-orllewin.
- Mae aer cynnes a llaith yn codi dros y mynyddoedd yng ngorllewin gwledydd Prydain.
- Mae'r aer yn oeri ac mae anwedd dŵr yn cyddwyso.
- Mae cymylau'n ffurfio ac mae glaw yn disgyn ar y mynyddoedd.
- I'r dwyrain o'r mynyddoedd, mae'r aer yn disgyn gan gynhesu ac mae'r cymylau'n anweddu.
- Dyma'r cysgod glaw – lle mae'r glawiad yn llawer is.
- Mae glaw darfudol yn digwydd yn yr haf pan fo'r haul yn cynhesu'r ddaear. Mae'r aer poeth hwn gerllaw'r ddaear yn codi. Wrth godi mae'n oeri, cyddwyso gan greu glaw trwm ac weithiau stormydd o fellt a tharanau.

Ffigur 1 Diwasgedd

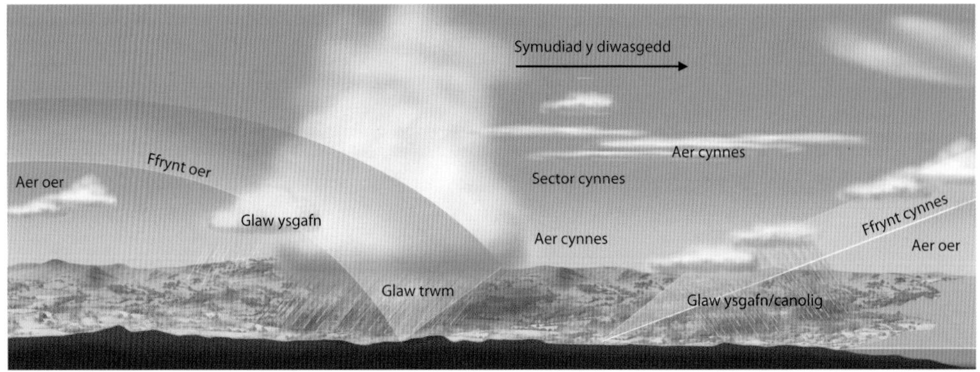

Ewch amdani!

Eglurwch y glaw tirwedd sy'n cael ei ddangos yn Ffigur 2 drwy gwblhau'r tabl.

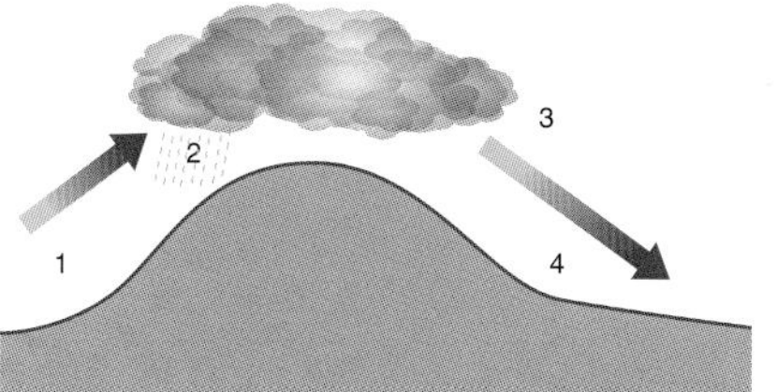

Ffigur 2
Glaw tirwedd

Rhif	Eglurhad
1	
2	
3	
4	

Hinsawdd Gwledydd Prydain

Mae gwledydd Prydain â **hinsawdd arforol dymherus** oherwydd lledred ac effaith y môr. Daw'r prifwyntoedd o'r de-orllewin. Mae'r prifwyntoedd hyn yn dod â gwlybaniaeth a glawiad i orllewin Prydain o Gefnfor Iwerydd. Mae mynyddoedd y gorllewin hefyd yn arwain at lawiad mwy trwm.

Mae 5 prif ffactor yn effeithio ar hinsawdd Prydain:

- **Lledred** – Mae hinsawdd Prydain yn dibynnu os ydy'r hemisffer gogleddol neu'r hemisffer deheuol yn gogwyddo tua'r haul ai peidio. Mae hyn yn creu tymor poeth (haf) a thymor oer (gaeaf).
- **Uchder** – Am bob 100 m o godiad tir mae'r tymheredd yn gostwng 0.6°C.
- **Cyfandiroledd** – Mae'r môr yn cynhesu'n arafach na'r tir ond mae'r môr yn colli ei wres yn arafach na'r tir. Felly, mae ardaloedd arfordirol â llai o amrediad tymheredd rhwng haf a gaeaf nag ardaloedd sy'n bellach i mewn i'r tir.
- **Ceryntau cefnforol** – Mae Drifft Gogledd Iwerydd yn dod â dŵr cynnes i wledydd Prydain. Mae hyn yn cadw'r hinsawdd yn glaear yn y gaeaf ac yn llai cynnes yn yr haf. Mae hyn i'w weld yn y gorllewin pan fo'r gwyntoedd o'r de-orllewin yn chwythu.
- **Cyfeiriad y gwynt** – Mae'r term 'prifwyntoedd' yn cyfeirio at y gwyntoedd sy'n chwythu amlaf. Mae gwynt yn gallu dod â thywydd cynnes neu oer, gwlyb neu sych. Mae hyn yn dibynnu o ble mae'r gwynt yn chwythu.

Aergyrff

- Mae gwyntoedd o'r gogledd-orllewin yn dod ag aer **pegynol-arforol**, sy'n rhoi tywydd claear gyda chawodydd.
- Mae gwyntoedd o'r de-orllewin yn dod ag aer **trofannol-arforol** sy'n rhoi tywydd claear a glaw.
- Mae gwyntoedd o'r de-ddwyrain yn dod ag aer **trofannol-gyfandirol**, sy'n rhoi tywydd poeth a sych.
- Mae gwyntoedd o'r dwyrain yn dod ag aer **pegynol-gyfandirol**, sy'n rhoi tywydd poeth yn yr haf a thywydd oer yn y gaeaf.
- Mae gwyntoedd o'r gogledd yn dod ag aer o'r **Arctig**, sy'n rhoi tywydd oer ac eira yn y gaeaf.

Sut mae'r tywydd yn creu peryglon i bobl?

Beth ydy'r peryglon tywydd sy'n cael eu cysylltu â systemau gwasgedd uchel ac isel yng ngwledydd Prydain a stormydd trofannol?

Aergorff: corff mawr o aer gyda'r un tymheredd a lleithder.

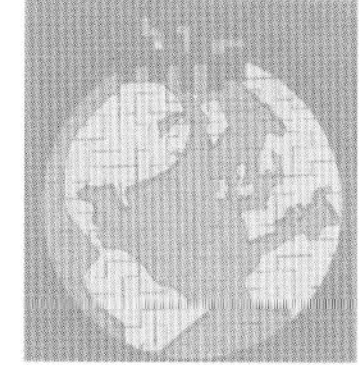

Y Pethau Pwysig

Gwasgedd aer isel

Pan fo cyfres o systemau gwasgedd aer isel yn dilyn ei gilydd yng ngwledydd Prydain mae perygl o lifogydd difrifol. Mae gwasgedd aer isel hefyd yn gallu creu gwyntoedd cryfion.

Ewch amdani!

Ewch ati i greu map meddwl i ddangos sut mae'r tywydd yn gallu effeithio ar fywydau pobl.

Astudiaeth Achos – Llifogydd Caerloyw

Ar ddydd Gwener, 20 Gorffennaf 2007 fe ddeffrodd pobl Caerloyw (*Gloucester*) i law trwm a rhybudd o fwy o law i ddod. Roedd y diwrnod hwn yn un hanesyddol wrth iddyn nhw geisio delio â'r llifogydd mwyaf a welodd y ddinas. Roedd y glaw trwm wedi arwain at foddi cannoedd o gartrefi a busnesau yn ogystal ag effeithio ar drafnidiaeth.

Collodd hanner y sir ei gyflenwad dŵr gan fod gorsaf driniaeth yn Tewkesbury dan ddŵr. Roedd y gwasanaethau argyfwng hefyd yn ceisio achub is-orsaf drydan yn Walham oedd mewn perygl o gael ei gorlifo.

Gwasgedd aer uchel

Gwasgedd aer uchel ydy antiseiclon. Ceir rhew a niwl yn y gaeaf a sychder yn yr haf.

Astudiaeth Achos – Sychder 2004

Yn ôl cofnodion roedd y cyfnod rhwng 2004-2006 yn un o'r cyfnodau sychaf yn y DU. Roedd de-ddwyrain Lloegr yn wynebu problemau oherwydd y boblogaeth uchel – mae 13 miliwn yn byw yn y rhanbarth – a'r galw am ddŵr. Mae'r cronfeydd dŵr yn brin gan eu bod yn dibynnu'n drwm ar gyflenwad o ddŵr daear. Roedd y cyflenwad dŵr hwn heb ei adnewyddu yn dilyn dwy flynedd o sychder.

- Cyflwynwyd gwaharddiad ar bibellau dŵr i arbed y cyflenwad.
- Disgynnodd y lefelau dŵr daear i'w lefelau isaf erioed.
- Sychodd rhai afonydd yn gyfan gwbl.
- Roedd lefelau isel y dŵr yn yr afonydd yn gallu arwain at lygredd dŵr ac effeithiau niweidiol ar yr amgylchedd.
- Roedd pysgod yn marw o brinder ocsigen yn y dŵr a thymheredd uwch y dŵr.
- Cyflwynodd Gerddi Kew nifer o fesurau i warchod y cyflenwad dŵr, e.e. dyfrhau planhigion a lawntiau newydd yn unig.

Stormydd Trofannol

Mae enwau amrywiol yn cael eu defnyddio mewn gwahanol rannau o'r byd am stormydd trofannol – **corwynt** (*hurricane*), **teiffŵn** (*typhoon*), **seiclon** (*cyclone*) neu ***willy-willies***. Os ydy'r stormydd hyn yn ffurfio yng nghefnfor Iwerydd ac yn symud tua'r gorllewin yna maen nhw'n cael eu galw yn gorwyntoedd.

- Mae corwynt yn ffurfio pan fo tymheredd y môr dros 27°C.
- Mewn blwyddyn gyfartalog, mae mwy na 12 corwynt yn ffurfio dros Gefnfor Iwerydd cyn symud ymlaen tua'r Caribî, Canolbarth America a de UDA.
- Mae corwyntoedd yn gallu parhau gymaint â mis a gall cyflymder y gwynt gyrraedd mwy na 120 km yr awr.
- Mae gwyntoedd cryf iawn stormydd trofannol yn gallu dinistrio cymunedau cyfan, adeiladau a'r rhwydwaith cyfathrebu.
- Mae glawiad trwm yn achosi llifogydd.
- Mae'r gwyntoedd cryf yn creu tonnau mawr gyda'r llanw yn hyrddio'r arfordir gan orlifo ardaloedd arfordirol.
- Wrth gyrraedd y tir mae stormydd trofannol yn colli eu grym gan mai'r môr ydy eu ffynhonnell egni.

Astudiaeth Achos – Seiclon Nargis: Myanmar (Gwlad Lai Economaidd Ddatblygedig)

Yn mis Mai 2008 fe wnaeth Seiclon Nargis daro arfordir Myanmar (Burma). Ffurfiwyd Seiclon Nargis dros ddyfroedd poeth Bae Bengal. Achosodd gwasgedd aer isel i lefelau'r môr godi gymaint â 3.6 m gan achosi ymchwydd storm (*storm surge*). Cafodd ardaloedd arfordirol isel a phoblog eu heffeithio waethaf adeg y penllanw gan orlifo'r ardaloedd gerllaw'r arfordir. Achoswyd difrod hefyd gan wyntoedd cryf – hyd at 215 km yr awr – gan greu tonnau anferthol hyd at 7.6 m uwchlaw'r ymchwydd storm.

Amcangyfrifwyd bod hyd at 800,00 o gartrefi wedi eu heffeithio gan y storm. Sefydlwyd gwersylloedd ffoaduriaid i roi cysgod i fwy na 260,000 o bobl. Amcangyfrifwyd bod y difrod yn fwy na $10 biliwn.

Nid oes gwybodaeth hollol fanwl ond mae'n debyg bod o leiaf 138,000 o bobl wedi colli eu bywydau oherwydd y llifogydd. Dinistriwyd cnydau reis gan greu prinder bwyd. Cafodd y cyflenwad dŵr ei lygru gan garthffosiaeth. Erbyn mis Mehefin roedd 65% o'r rhai oedd wedi goresgyn y storm yn dioddef o broblemau iechyd fel dolur rhydd (*diarrhoea*). Dinistriwyd canolfannau iechyd yn y llifogydd a phrin oedd y gofal meddygol. Roedd llywodraeth Myanmar hefyd yn araf i dderbyn cymorth gan eraill.

Amcangyfrifwyd bod 200,000 o deuluoedd wedi ailgodi eu cartrefi o fewn blwyddyn i'r difrod. Mae'r broses adfer wedi bod yn araf oherwydd diffyg cydweithio gwleidyddol, e.e. o'r cymorth o $150 miliwn y gofynnwyd amdano ar gyfer creu cysgod ac ailadeiladu dim ond $50 miliwn sydd wedi'i dderbyn hyd yma.

Astudiaeth Achos – Corwynt Katrina, Awst 2005

Lleoliad: Louisiana, UDA

Effeithiau:

- Roedd y tonnau ymchwydd gymaint â 6 m mewn uchder gan chwalu'r amddiffynfeydd.
- Mae New Orleans o dan lefel y môr ac wedi'i hamddiffyn gan lifgloddiau (*levees*). Yn dilyn Katrina, cafodd 80% o'r ddinas ei orlifo.
- Er gwaethaf y rhybudd i adael, penderfynodd nifer o'r bobl mwyaf tlawd i beidio â gwneud hynny. Collodd mwy na 1,200 eu bywydau.
- Ceisiodd rhai chwilio am gartref dros dro yn stadiwm y Superdome ond roedd amodau yno'n anfoddhaol gyda phrinder bwyd a dŵr.
- Roedd dwyn yn gyffredin drwy'r ddinas.
- Gwnaethpwyd mwy na miliwn o bobl yn ddigartref.
- Effeithiwyd ar burfeydd olew ac effeithiodd hynny ar bris petrol yn UDA a'r DU.
- Amcangyfrifwyd bod y difrod yn $80 biliwn.

Sut mae peryglon tywydd yn effeithio ar bobl, yr economi a'r amgylchedd?

Ewch amdani!

1 Trafodwch beth yn eich barn chi oedd y canlyniadau cymdeithasol, economaidd ac amgylcheddol ar Tewksbury yn Swydd Caerloyw. Beth yn eich barn chi y gellid fod wedi'i wneud i leihau effeithiau'r llifogydd? Meddyliwch yn ôl i 'Thema 1: Dŵr'.

2 Gwnewch restr o'r mesurau y gellir eu cymryd i osgoi hyn rhag digwydd eto.

Allwn ni reoli peryglon tywydd?

Sut gallwn ni ddefnyddio technoleg i ragweld tywydd eithafol a lleihau'r effeithiau?

Y Pethau Pwysig

Rhagweld y tywydd

Mae gwybodaeth am y tywydd yn cael ei chasglu drwy:

- fesur a chofnodi darlleniadau bob dydd mewn gorsaf dywydd
- defnyddio offer sy'n gweithio'n awtomatig, e.e. bwiau allan yn y cefnfor
- defnyddio llongau ac awyrennau
- defnyddio delweddau lloeren a radar.

Lleihau'r effeithiau

Mae offer cyfoes yn gallu tracio corwyntoedd a dweud wrth bobl pryd y byddan nhw'n taro. Mae hyn yn ddefnyddiol oherwydd eu bod yn bosib:

- rhybuddio pobl
- symud pobl i ddiogelwch
- paratoi ar gyfer y storm, e.e. storio bwyd a dŵr
- diogelu'r ffenestri
- codi cysgod rhag y storm.

Mae gwledydd **Mwy Economaidd Ddatblygedig (MEDd)** â'r adnoddau a'r dechnoleg i ragweld a monitro'r digwyddiad, e.e. defnyddio lloerennau ac awyrennau i hyfforddi'r gwasanaethau argyfwng yn ogystal ag addysgu'r bobl i ddelio â'r sefyllfa.

Mae gwledydd **Llai Economaidd Ddatblygedig (LlEDd)** heb yr adnoddau a'r dechnoleg ac oherwydd hynny yn dibynnu ar wledydd eraill i'w cynorthwyo. Yn y gwledydd hyn, mae'n bosib cymryd rhai mesurau i leihau effeithiau stormydd trofannol:

- adeiladu lleoedd i gysgodi ar gyfer teuluoedd
- cryfhau a chynyddu uchder llifgloddiau ar hyd yr afonydd a'r arfordir
- plannu coed mangrof ar hyd yr arfordir er mwyn i silt gasglu a lleihau effeithiau'r tonnau
- addysgu pobl am y peryglon.

Gwybodaeth fewnol

a) Eglurwch sut mae ffrynt cynnes yn dod â chymylau a glaw. Mae'n rhaid i chi ychwanegu gwybodaeth at y diagram isod i'ch helpu gyda'r ateb. [6]

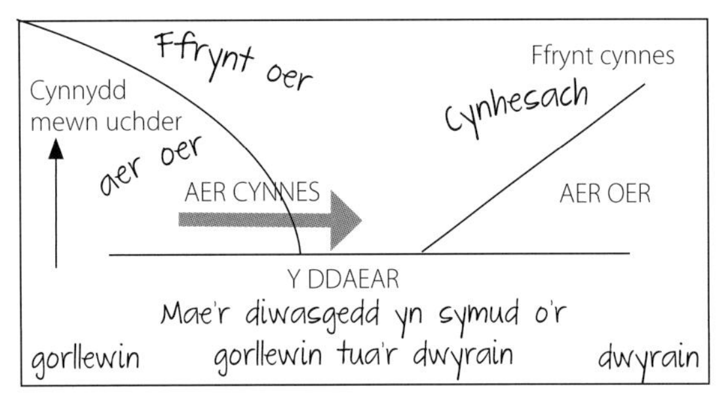

Ardal o gymylau a glaw cyson yw ffrynt cynnes. Yn y ffrynt oer mae ardal o gymylau cawodydd a glaw trwm. Pan fydd y ffrynt cynnes a'r ffrynt oer yn dod at ei gilydd mae ardal o law fel arfer.

Ffigur 3 Ateb myfyriwr

Sylwadau'r Arholwr

Y gair gorchymyn yn y cwestiwn yw **eglurwch** a'r geiriau allweddol yw **ffrynt cynnes** a **glaw**. Cofiwch fod y cwestiwn yn nodi bod angen i chi ychwanegu gwybodaeth at y diagram. Mae'n debygol y byddai'r cwestiwn hwn yn cael ei farcio drwy ddefnyddio cynllun marcio lefelau.

Mae hwn yn ateb gwan. Mae'r ymgeisydd yn dangos ychydig iawn o ddealltwriaeth o'r prosesau sy'n arwain at ffurfiant cymylau a glaw ar y ffrynt. Mae'r testun yn ailadrodd y wybodaeth sydd yn y cwestiwn sef bod cysylltiad rhwng ffrynt a glawiad. Er bod gwybodaeth ychwanegol wedi'i rhoi ar y diagram nid yw'n egluro sut mae ffrynt yn rhoi glawiad. Byddwn yn rhoi un marc am yr ateb.

LLIFOLAU **ARHOLIAD**

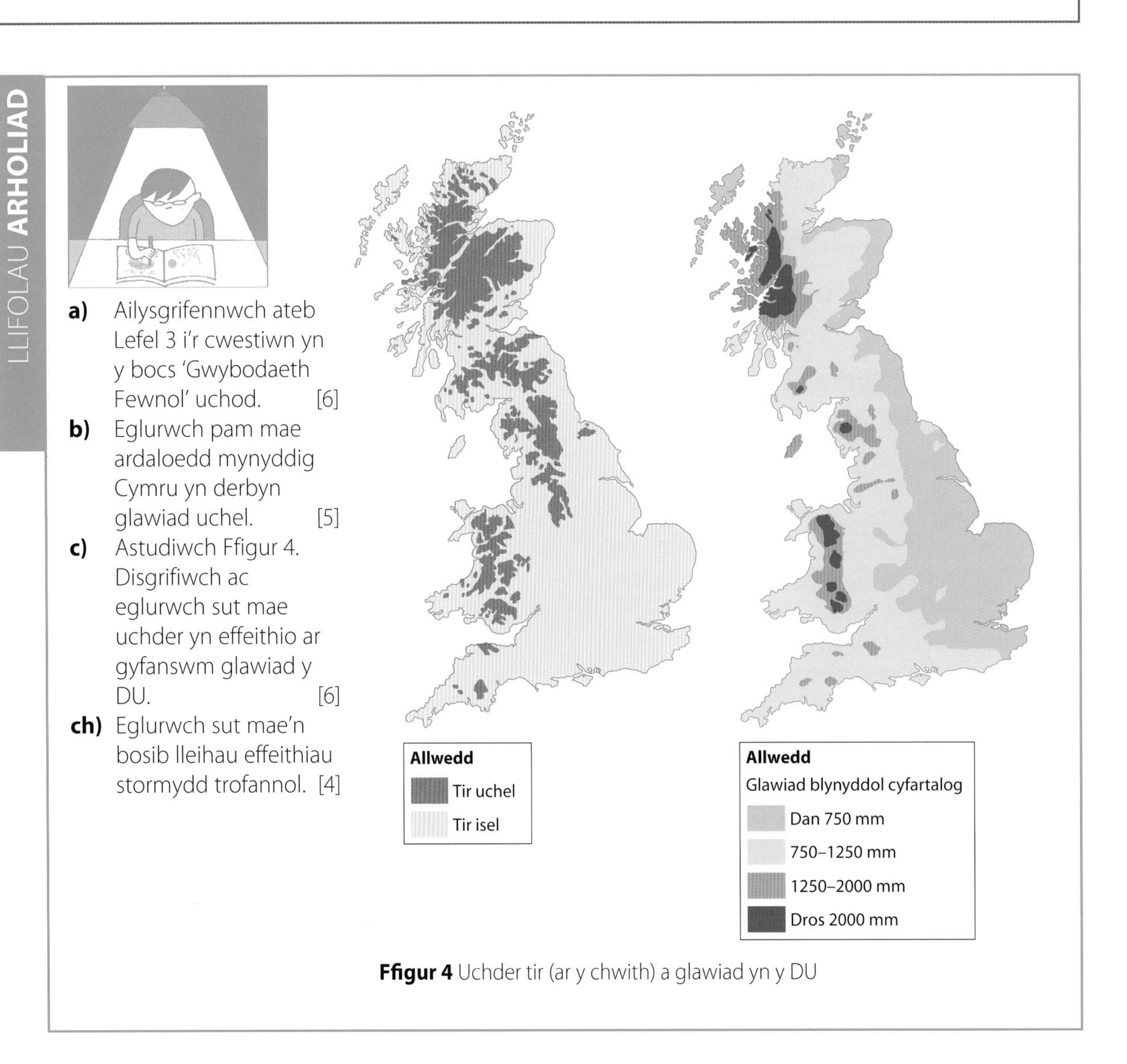

a) Ailysgrifennwch ateb Lefel 3 i'r cwestiwn yn y bocs 'Gwybodaeth Fewnol' uchod. [6]

b) Eglurwch pam mae ardaloedd mynyddig Cymru yn derbyn glawiad uchel. [5]

c) Astudiwch Ffigur 4. Disgrifiwch ac eglurwch sut mae uchder yn effeithio ar gyfanswm glawiad y DU. [6]

ch) Eglurwch sut mae'n bosib lleihau effeithiau stormydd trofannol. [4]

Ffigur 4 Uchder tir (ar y chwith) a glawiad yn y DU

Beth yw bïomau? Sut maen nhw'n gwahaniaethu?

Sut mae'r amgylchedd ffisegol yn rhyngweithio gyda phethau byw i greu ecosystemau mawr gwahanol?

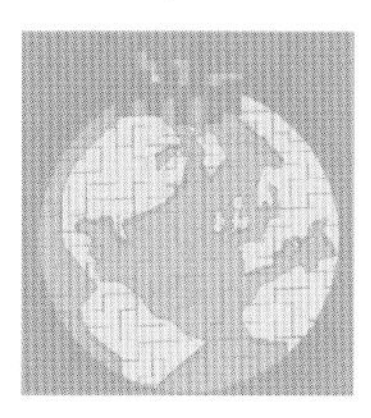

Y Pethau Pwysig

Ecosystemau mawr

- Mae pethau byw mewn ecosystem yn cael eu galw yn bethau **biotig**. Mae pethau sydd ddim yn fyw yn cael eu galw yn **anfiotig**.

  Mewn ecosystem mae pethau byw a phethau sydd ddim yn fyw yn gyd-ddibynnol, h.y. maen nhw'n dibynnu ar ei gilydd i wneud i'r system weithio. Os ydy unrhyw ran o'r system yn cael ei newid yna mae'r system gyfan yn cael ei newid.
- Mae ecosystemau yn amrywio o ran maint. Maen nhw'n amrywio rhwng yr ecosystem mewn pwll dŵr ar lan y môr i ecosystem fyd-eang – **bïom**. Prosesau pwysig o fewn ecosystem yw'r **gylchred faetholion**, **llif egni** ac **olyniaeth**.

Y gylchred faetholion

Mae angen maetholion ar bethau byw i fyw a thyfu. Mae maetholion i'w cael mewn dŵr, creigiau a'r atmosffer ac maen nhw'n symud drwy'r ecosystem mewn cylchred fel hyn:

- Mae creigiau sy'n cael eu hindreulio yn rhyddhau maetholion i'r pridd.
- Mae glawiad yn rhoi dŵr i'r pridd.
- Mae planhigion yn amsugno maetholion trwy'r gwreiddiau a'r dail.
- Drwy fwyta'r planhigion mae anifeiliaid yn cael maetholion.
- Mae ffyngau a bacteria yn dadelfennu planhigion ac anifeiliaid marw.
- Mae maetholion yn dychwelyd i'r pridd.

Trwy broses **trwytholchiad** mae maetholion yn cael eu colli i'r system neu maen nhw'n cael eu golchi i ffwrdd gan **ddŵr ffo**.

Ecosystem: ecosystem yw'r cysylltiad rhwng planhigion, anifeiliaid a phethau sydd ddim yn fyw a phethau sydd o'u cwmpas, fel creigiau, pridd, dŵr a hinsawdd.

Y gylchred egni

- Mae planhigion yn creu egni mewn ecosystem drwy broses ffotosynthesis – proses sy'n defnyddio egni o'r haul.
- Mae rhai anifeiliaid sy'n bwyta planhigion (**llysysyddion**) a rhai sy'n bwyta cig (**cigysyddion**). Mae cigysyddion yn bwyta llysysyddion ac felly mae egni yn symud drwy'r system – **cadwyn fwyd**.
- Mae'r cadwynau bwyd yn cysylltu â'i gilydd i greu **gwe fwydydd**.
- Yn ystod pob cam o'r gadwyn fwyd mae nifer y pethau byw yn lleihau gan fod egni yn cael ei golli, yn cael ei ddefnyddio mewn trydarthiad, symudiad ac anadlu.

Felly, y mwyaf o fewnbynnau sy'n mynd i mewn i'r ecosystem, h.y. maetholion pridd, dŵr a golau haul, mwyaf cyfoethog yw'r amrywiaeth o blanhigion ac anifeiliaid sy'n bosib ei chynnal. Ychydig o fewnbynnau o egni sydd yn yr ardaloedd Arctig ac o'r herwydd mae'r amrywiaeth o blanhigion ac anifeiliaid yn gyfyngedig.

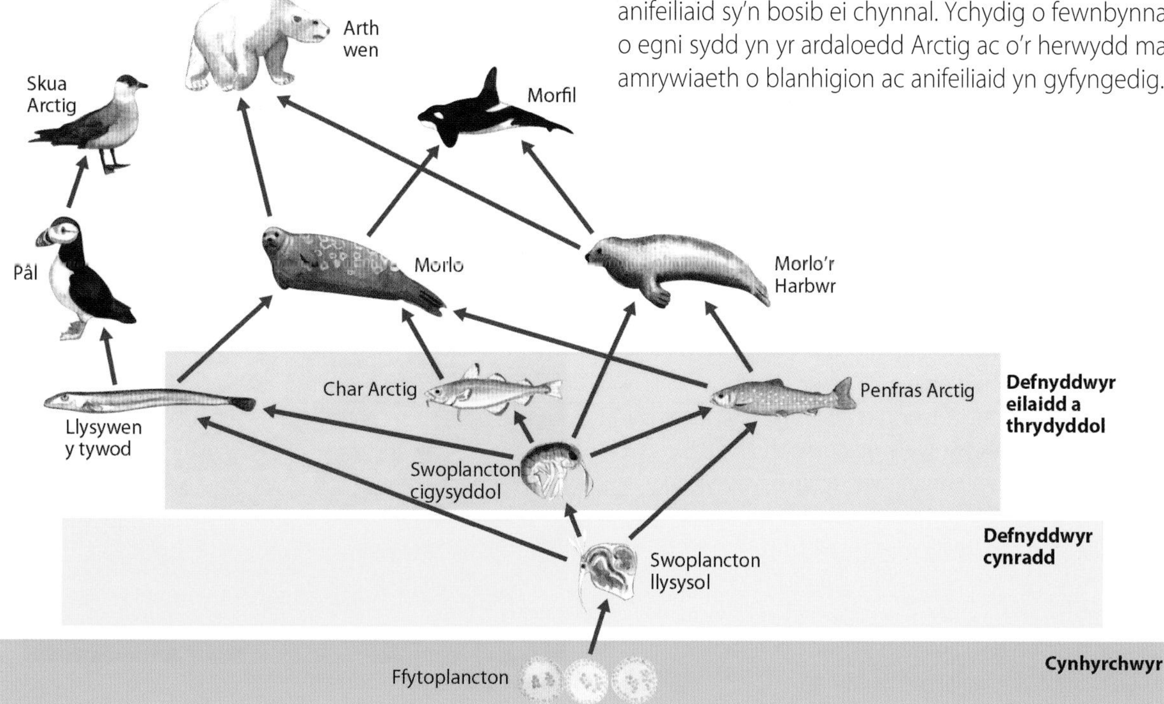

Ffigur 1 Pyramid bwyd

Ewch amdani!

1 Ewch ati i wneud model i ddangos sut mae'r gylchred faetholion yn gweithio. Defnyddiwch gylch ar gyfer paratoi eich cylchred. Eglurwch y gylchred i ffrind i wneud yn siŵr eich bod yn ei deall.

2 Dangoswch eich dealltwriaeth o'r we fwydydd drwy wneud cadwyn fwyd ar gyfer pobl. Yna, ewch ati i ddatblygu'r gadwyn fwyd yn we fwydydd. Labelwch bob anifail (neu berson dynol) fel naill ai yn llysysydd, cigysydd neu hollysydd (*omnivore*). Marciwch hefyd y term **ffotosynthesis**. Gwnewch yn siŵr eich bod yn dangos sut mae **trosglwyddo egni** yn newid drwy gydol y we fwydydd.

Sut mae dosbarthiad ecosystemau byd-eang yn cael eu heffeithio gan hinsawdd?

Enghreifftiau o bïomau mawr ydy:

- Coedwigoedd glaw trofannol
- Glaswelltiroedd Safana
- Diffeithdiroedd
- Y Môr Canoldir
- Glaswelltiroedd tymherus
- Coedwigoedd collddail
- Coedwigoedd conwydd
- Twndra
- Mynyddoedd

Bïomau: ecosystemau mawr byd-eang lle mae'r hinsawdd, y llystyfiant a'r priddoedd yn debyg yn yr ardal gyfan.

Mae'r nifer cyfyngedig o bïomau mawr yn awgrymu bod ffactorau allweddol yn gyfrifol am greu'r cymunedau hyn. Hinsawdd yw'r ffactor pwysicaf wrth benderfynu dosbarthiad y bïomau mawr hyn. Ffactorau amgylcheddol eraill pwysig yw tirwedd, daeareg a phridd.

Astudiaeth Achos – Coedwigoedd glaw trofannol

- Mae coedwigoedd glaw trofannol i'w gweld mewn gwledydd cyhydeddol fel Brasil, Congo a Gwlad Thai. Maen nhw'n cynnwys yr amrywiaeth fwyaf o blanhigion ac anifeiliaid yn y byd.
- Mae'r hinsawdd yn boeth a llaith. Mae'n glawio bron pob dydd, ac yn aml mae'r glawiad yn fwy na 2000 mm y flwyddyn. Mae'r tymheredd yn uchel gyda'r tymheredd cyfartalog yn 26°C a'r tymor tyfu yn parhau drwy'r flwyddyn.
- Mae'r ecosystem yn derbyn egni o'r Haul. Mae defnydd organig a'r tywydd poeth a llaith yn golygu bod dadelfennu yn digwydd yn gyflym. Mae hyn, yn ogystal â'r glawiad trwm, yn rhoi digon o faetholion sy'n cael eu hamsugno gan wreiddiau'r planhigion.
- Mae galw am y maetholion o blanhigion y goedwig, sy'n tyfu'n gyflym. Nid yw'r maetholion yn aros yn y pridd yn hir. Maen nhw hefyd yn agos i arwyneb y pridd.
- Felly, os ydy'r goedwig law yn cael ei chlirio ar gyfer tir ffermio nid yw'r tir yn cynnig pridd ffrwythlon gan nad yw'n gyfoethog mewn maetholion. Unwaith mae'r coed yn cael eu clirio (gyda'r gwreiddiau) mae'r pridd yn cael ei olchi i ffwrdd.
- Mae'r llystyfiant wedi'i rannu'n haenau – y **coed ymwthiol**, y **canopi**, y **llwyni** a'r **haen ddaear**. Mae'r coed yn gollddail – maen nhw'n tyfu a cholli eu dail drwy gydol y flwyddyn. Yma mae coed fel mahogani a thîc.

Ffigur 2 Coedwig law drofannol

Ewch amdani!

1. Gan ddefnyddio'r ffigurau isod, gwnewch graff hinsawdd fel yr un ar dudalen 69 i ddangos hinsawdd nodweddiadol y goedwig law.
2. Anodwch y graff hinsawdd ac eglurwch pam ei bod yr ecosystem fwyaf cynhyrchiol yn y byd. Rhowch o leiaf ddau reswm.
3. Defnyddiwch y diagram isod i gymharu ecosystem coedwig law â choedwig golldail yng ngwledydd Prydain. Cymharwch eu lleoliad, hinsawdd ac enghreifftiau o sut mae planhigion/anifeiliaid wedi addasu.

Gallwch ailadrodd hyn gydag unrhyw un o'r bïomau eraill.

	I	Ch	M	E	M	M	G	A	M	H	T	Rh
Dyodiad (mm)	240	220	242	215	170	100	70	40	50	100	150	215
Tymh. (c)	27	27	27	27	27	27	28	28	28	27	27	27

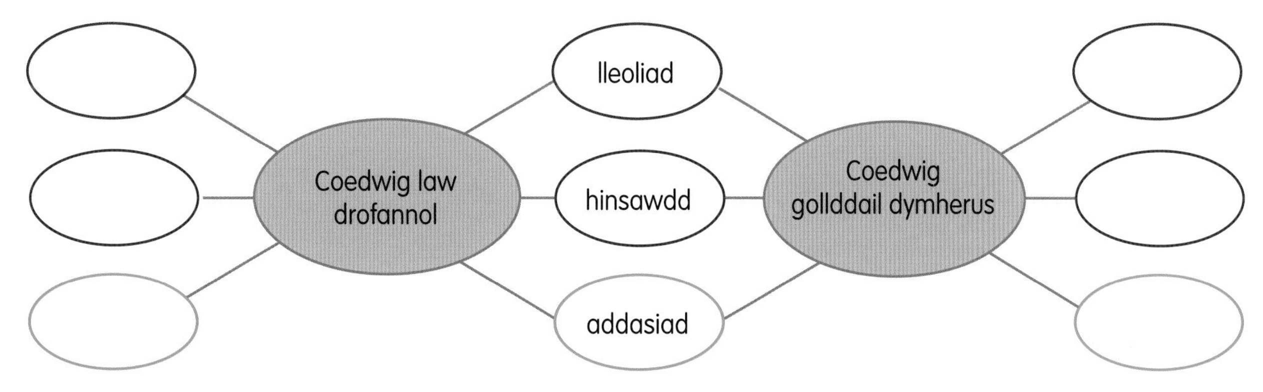

Sut mae ecosystemau yn cael eu rheoli?

Ym mha ffyrdd mae pobl yn defnyddio ecosystemau?

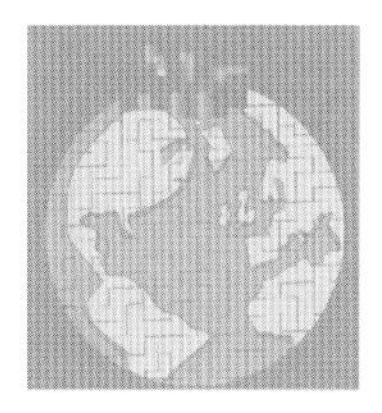

Y Pethau Pwysig

Sut mae pobl yn newid ecosystem?

Mae gweithgaredd dynol wedi dinistrio neu newid rhannau o bob ecosystem. Mae datgoedwigo, amaethyddiaeth, hela a chyflwyno rhywogaethau newydd wedi newid gweoedd bwydydd a chylchredau maetholion ac egni yn fyd-eang.

- Yn y DU mae'r rhan fwyaf o goedwigoedd collddail wedi eu clirio ar gyfer ffermio ac ar gyfer codi trefi a dinasoedd. Erbyn heddiw mae nifer ohonyn nhw'n atyniad ar gyfer ymwelwyr.
- Mae'r rhan fwyaf o laswelltiroedd tymherus UDA wedi'u clirio i dyfu grawnfwydydd.
- Yn draddodiadol mae'r *bushmen* yn hela a chasglu cynnyrch o Ddiffeithwch y Kalahari yn Botswana.
- Mae twristiaeth a'r galw am ddŵr wedi effeithio ar ecosystem gwledydd y Môr Canoldir.

Sut mae modd rheoli ecosystem yn gynaliadwy?

- Mae amgylchedd bregus ecosystem y Twndra dan fygythiad oherwydd cloddio am olew yn Alaska.
- Mae ecosystem y Môr Canoldir dan fygythiad oherwydd twristiaeth, e.e. mae prinder dŵr yn Majorca wedi arwain at longau yn cario dŵr o'r tir mawr.
- Yn UDA mae ecosystem y diffeithdir dan fygythiad oherwydd dulliau ffermio dwys yn California a'r galw gormodol am ddŵr, e.e. ar gyfer pyllau nofio.
- Yng ngorllewin Siberia mae coedwigoedd conwydd yn cael eu torri i chwilio am adnoddau olew a nwy. Mae rhai ardaloedd wedi'u llygru oherwydd llygredd olew sy'n gwneud adennill yr ecosystem yn amhosibl.

Cynaliadwy: defnyddio'r ecosystem fel bod modd ymateb i anghenion y boblogaeth yn y dyfodol hefyd, caniatáu i'r wlad ddatblygu a gwella safon byw'r bobl heb niweidio anghenion pobl yn y dyfodol.

Astudiaeth Achos – Coedwig law drofannol a'i phobl

- Mae pobl yn bygwth y coedwigoedd glaw trofannol. Yn ystod y 100 mlynedd diwethaf mae 50% o'r coedwigoedd hyn wedi cael eu dinistrio. Mae rhai gwyddonwyr yn rhagweld y bydd y rhan fwyaf o'r coedwigoedd wedi diflannu o fewn y 10 mlynedd nesaf.

Mae'r rhan fwyaf o'r coedwigoedd glaw mewn gwledydd tlawd, gwledydd sydd angen manteisio ar gyfoeth y coedwigoedd i'w helpu i ddatblygu. Mae sawl rheswm pam mae'r coedwigoedd yn cael eu torri:

- Ffermio – e.e. ransio gwartheg masnachol.
- Mwyngloddio – mae cyflenwad mawr o fwynau fel aur, mwyn haearn a chopr yn Amazonia.
- Ffyrdd – mae'r ffyrdd yn gwella mynediad i'r coedwigoedd ac yn ei gwneud yn haws manteisio ar yr adnoddau.
- Gwasgedd poblogaeth – mae angen tir ar gyfer codi tai a sefydlu diwydiannau.
- Coedwigaeth – mae coed gwerthfawr fel mahogani yn cael eu hallforio ar draws y byd.
- Cyflenwad trydan – mae angen codi argaeau ar gyfer cynlluniau pŵer trydan dŵr.

Effeithiau ymyrraeth gan bobl

- **Cyflogaeth** – mae swyddi yn cael eu creu mewn coedwigaeth, ffermio, mwyngloddio a thwristiaeth.
- **Ailgartrefu** – gwell safon byw i'r rhai sydd wedi symud o'r trefi sianti.
- **Ffyrdd** – mae ffyrdd yn rhannu'r goedwig a thrwy hynny yn torri'r cysylltiad rhwng gwahanol systemau biotig ac anfiotig, e.e. mae ffordd yn gallu rhwystro rhai mwncïod (e.e. *Golden Lion Tamarin*) rhag teithio i gasglu bwyd a thrwy hynny ddosbarthu hadau planhigion yn y goedwig.
- **Clirio tir** – mae coed caled yn cymryd blynyddoedd lawer i dyfu ac mae'n anodd eu hailblannu. Unwaith i'r gylchred faetholion gael ei thorri mae bron yn amhosibl i'r ecosystem naturiol gael ei hadnewyddu.
- **Priddoedd ffrwythlon** – maen nhw'n cael eu golchi i ffwrdd pan fo'r goedwig yn cael ei chlirio ar gyfer ffermio, mwyngloddio neu ffyrdd. Mae llifogydd yn gallu digwydd os yw'r priddoedd yn cael eu cario i'r afonydd.
- **Colli cynefin** – os yw'r goedwig yn cael ei thorri mae anifeiliaid yn cael eu gorfodi i chwilio am le newydd i fyw. Mae torri coed fel hyn yn gallu arwain at beryglu bywyd gwyllt neu achosi iddyn nhw ddiflannu yn gyfan gwbl.
- **Elw** – mae ffermio ar raddfa fawr, coedwigaeth a mwynau yn broffidiol yn y tymor byr. Mae'r elw yn aml yn mynd i gwmnïau y tu allan i'r wlad neu i wlad MEDd a hynny heb ddod ag elw i'r gymuned leol.
- **Diwylliant** – mae pobl leol sydd wedi byw yma ers canrifoedd yn colli eu cartrefi a'u ffordd o fyw.
- **Newid hinsawdd** – mae llosgi'r coedwigoedd yn cyfrannu at gynhesu byd-eang drwy ryddhau mwy o CO_2 i'r atmosffer yn ogystal ag effeithio ar y gylchred garbon.
- **Meddygaeth** – mae sawl meddyginiaeth wedi dod o'r goedwig law. Bydd clirio'r coed yn rhwystro darganfyddiadau newydd yn y dyfodol.

Ewch amdani!

Cwblhewch y cerdyn astudiaeth achos ar Amazonia:

1. Enw'r astudiaeth achos
2. Lleoliad yr astudiaeth achos (gan gynnwys map)
3. Nodwch o leiaf 3 rheswm pam mae'r goedwig law yn cael ei dinistrio
4. Nodwch o leiaf 5 ffordd mae pobl wedi effeithio ar y goedwig law.

Astudiaeth Achos – Defnydd cynaliadwy o'r goedwig law

- Mae gwledydd MEDd yn awyddus i'r gwledydd LIEDd ddod â'r datgoedwigo i ben – ond gwledydd MEDd sy'n prynu'r coed. Eisoes mae gwledydd MEDd wedi datgoedwigo'r coedwigoedd tymherus ac wedi defnyddio eu mwynau. Yn y gwledydd LIEDd mae angen yr elw o ddefnyddio adnoddau'r coedwigoedd glaw er mwyn gwella safon byw eu pobl.
- Mae rhai grwpiau fel Cyfeillion y Ddaear a'r *WWF* yn awgrymu cyfaddawd sef bod y coedwigoedd yn cael eu defnyddio yn gynaliadwy.
- Mae llwythau cynhenid y coedwigoedd wedi bod yn defnyddio triniad mudol ar draws y canrifoedd. Roedden nhw'n defnyddio adnoddau'r goedwig yn gynaliadwy.

Triniad mudol

Mae triniad mudol i'w weld yng nghoedwigoedd glaw Amazonia, canolbarth a gorllewin Affrica ac Indonesia. Dyma fel mae'n gweithio:

- Mae darn bach o dir yn cael ei glirio a'r llystyfiant yn cael ei losgi. Mae'r lludw yn rhoi maetholion i'r pridd.
- Am sawl blwyddyn mae'r pridd yn aros yn ffrwythlon fel bod y llwyth yn gallu tyfu cnydau ar gyfer bwyd.
- Wrth i'r pridd golli ei ffrwythlondeb mae'r llwyth yn symud i ddarn newydd o dir yn y goedwig.
- Bydd y darn tir gwreiddiol yn cael cyfle i adnewyddu drwy dderbyn maetholion a hadau o'r llystyfiant cyfagos.
- Nid oes difrod parhaol. Mae'r dull hwn o ffermio yn gynaliadwy.

Mae clirio'r coedwigoedd ar raddfa eang yn bygwth y dull triniad mudol o ffermio, yn ogystal â newid diwylliant pobl a'r dulliau traddodiadol o fyw.

Rheolaeth gynaliadwy ar y goedwig

Mae strategaethau cynaliadwy yn gallu cynnwys y canlynol:

- **Amaeth-goedwigaeth**: sef tyfu coed a chnydau yr un pryd. Mae ffermwyr wedyn yn cael cysgod ar gyfer eu cnydau ac yn osgoi erydiad pridd yn ogystal â derbyn maetholion o'r deunydd organig marw.
- **Torri coed dewisol**: mae coed yn cael eu mesur a'u torri wedi cyrraedd uchder arbennig. Bydd coed ifanc yn cael cyfle i dyfu i'w llawn dwf ar ôl tua 30-50 mlynedd. Mae'r *FSC* (*Forest Stewardship Council*) yn cysylltu cynhyrchwyr â chwsmeriaid ac yn rhoi sicrwydd bod y coed yn dod o goedwigoedd cynaliadwy.
- **Addysg**: addysgu'r rhai sy'n gyfrifol am y coedwigoedd yn ogystal â'r cyhoedd mewn gwledydd MEDd fel eu bod yn deall effeithiau'r torri.
- **Coedwigo**: mae hyn yn hollol groes i ddatgoedwigo. Os bydd coed yn cael eu torri yna bydd eraill yn cael eu plannu i gynnal canopi'r goedwig. Mae rhai cwmnïau yn gorfod cytuno i hyn cyn dechrau'r gwaith.
- **Gwarchodfeydd**: ardaloedd o'r goedwig sy'n cael eu gwarchod fel amgylchedd naturiol lle nad oes unrhyw weithgaredd gan bobl. Mae rhai gwarchodfeydd wedi'u hamgylchynu gan ardaloedd lle mae pwyslais ar gynaliadwyedd.
- **Monitro**: defnyddio technoleg loeren i fonitro gweithgareddau yn y goedwig er mwyn sicrhau cynaliadwyedd.
- **Eco-dwristiaeth**: math newydd o dwristiaeth sy'n tyfu'n gyflym sy'n cael ei gymeradwyo ac sydd hefyd yn broffidiol iawn.

Ewch amdani

Ewch ati wneud cerdyn astudiaeth achos ychwanegol.
Dylai'r cerdyn yma gynnwys:

1. Diffiniad o'r term 'cynaliadwy'
2. O leiaf 4 ffordd mae modd rheoli'r coedwigoedd glaw yn gynaliadwy.

Beth yw'r canlyniadau tebygol os yw ecosystem yn parhau i gael ei difrodi?

Beth yw'r dystiolaeth fod ecosystemau yn cael eu defnyddio yn gynaliadwy?

Paratowyd adroddiad cynhwysfawr *MEA* (*Millenium Ecosystem Assessment*) i geisio gweld beth oedd canlyniad newid mewn ecosystem ar bobl a'u lles. Cysylltwyd ag 1,360 o arbenigwyr ac fe gasglwyd gwybodaeth ar ecosystemau ar draws y byd. Nodwyd hefyd beth oedd angen ei wneud i warchod a defnyddio'r ecosystemau yn gynaliadwy.

Daeth yr asesiad i bedwar prif gasgliad:

- Yn ystod y 50 mlynedd diwethaf mae pobl wedi newid ecosystemau yn fwy nag mewn unrhyw gyfnod blaenorol. Mae hyn wedi arwain at golled sylweddol a pharhaol mewn amrywiaeth bywyd ar y Ddaear.
- Mae'r newidiadau sydd wedi digwydd i'r ecosystemau wedi cyfrannu'n sylweddol at wella lles pobl. Fodd bynnag, mae hyn wedi arwain at ddiraddiad (*degradation*) mewn sawl ecosystem fydd yn arwain at leihad yn y budd ar gyfer cenedlaethau i ddod.
- Mae diraddiad ecosystemau yn gallu cynyddu'n sylweddol yn ystod y 50 mlynedd nesaf.
- Mae modd gwella'r diraddiad hwn drwy fabwysiadu newidiadau mewn polisïau ac arfer sydd ddim yn weithredol ar hyn o bryd.

Ewch amdani!

Rydych yn ddarllenydd newyddion fydd yn darllen penawdau'r newyddion. Ysgrifennwch ddarn 30 eiliad i grynhoi Adroddiad *MEA*. Bydd angen i chi ystyried yn ofalus beth yw cynnwys ac argymhellion yr asesiad – mae 30 eiliad yn amser hir!

Beth yw canlyniadau'r defnydd anghynaliadwy o ecosystem yn lleol ac yn fyd-eang ar bobl a'r amgylchedd?

Mae gweithgaredd dynol yn dinistrio'r biosffer – y cydbwysedd rhwng pethau byw a phethau anfyw ar y Ddaear – gyda chanlyniadau difrifol yn y tymor hir, e.e. newid hinsawdd, tir yn troi'n ddiffeithdir a chynnydd mewn gorlifo. Enghreifftiau o'r difrod hwn yw gorbysgota ym Môr y Gogledd, dinistrio ecosystem fregus twyni tywod, codi meysydd carafanau a thorri coed yn y goedwig law.

Yn ôl gwyddonwyr mae ecosystemau yn cynnig gwasanaethau allweddol i bobl:

- Cynnal dŵr glân mewn afonydd
- Rhwystro erydiad pridd
- Lleihau risg gorlifo
- Darparu defnyddiau naturiol fel coed
- Darparu bwydydd fel mêl a chnau.

Mae gwarchodwyr yn dadlau bod cynnal gwasanaethau allweddol yn llawer pwysicach yn y tymor hir i les pobl na'r enillion tymor byr o ddefnyddio ecosystemau yn anghynaliadwy.

Ewch amdani!

1. Ewch ati i wneud diagram pry cop/corryn ar gyfer unrhyw ddwy ecosystem sy'n disgrifio canlyniadau uniongyrchol pobl ar bob ecosystem. Defnyddiwch yr un lliw ar gyfer pob diagram pry cop/corryn.
2. Yna, gan ddefnyddio lliw gwahanol, ychwanegwch yr effeithiau tymor canolig, h.y. beth sy'n debygol o ddigwydd yn ystod y 5 mlynedd nesaf.
3. Yn olaf, gwnewch yr ymarfer eto ar gyfer effeithiau tymor hir, h.y. beth sy'n debygol o ddigwydd dros yr 20 mlynedd nesaf.

Gwybodaeth fewnol

Mae gwybodaeth sy'n cael ei chyflwyno ar ffurf map, diagram, graff, erthygl papur newydd neu gartŵn yn rhan bwysig o Ddaearyddiaeth. Mae'n bwysig felly eich bod yn meithrin eich sgiliau dehongli fel eich bod yn gwella eich marciau yn yr arholiad.

Cyn i chi ddarllen y cwestiwn cofiwch ddarllen y wybodaeth i gyd – fe allai fod yn ddefnyddiol sgriblo ychydig nodiadau ar ymyl y diagram. Defnyddiwch dystiolaeth o'r diagramau/graffiau a rhowch enghreifftiau/ffigurau yn eich ateb. Peidiwch â gwneud rhestr oni bai fod y cwestiwn yn gofyn am hynny.

a) Astudiwch y graff hinsawdd yn Ffigur 3.

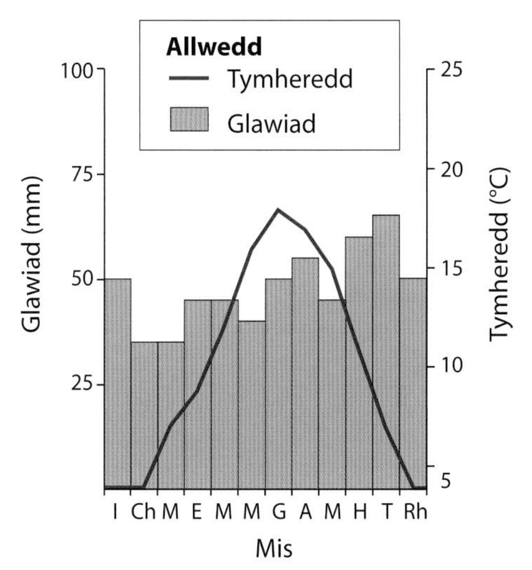

Ffigur 3 Graff hinsawdd ar gyfer Coedwig Salcey

i) Beth yw ecosystem? [2]

Ateb myfyriwr

System sy'n ymuno✓ bywyd anifeiliaid a phlanhigion gyda'i gilydd.

Sylwadau'r arholwr

System naturiol ydy ecosystem lle mae planhigion, anifeiliaid a phethau anfyw yn rhyngweithio â'i gilydd. Byddwn yn rhoi 1 marc yn unig i'r ymgeisydd am y syniad bod cysylltiad rhwng anifeiliaid a phlanhigion.

ii) Disgrifiwch y newidiadau mewn tymheredd cyfartalog drwy gydol y flwyddyn yng Nghoedwig Salcey. Eglurwch sut mae'r newidiadau hyn yn effeithio ar lystyfiant y goedwig. [4]

Atebion myfyrwyr

Myfyriwr A

Mae'r tymheredd yn codi yn ystod misoedd yr haf ac yna'n disgyn yn y gaeaf.✓ Mae hyn yn golygu bod y llystyfiant yn isel yn y gaeaf ac yn uchel yn yr haf.✓

Myfyriwr B

Ym misoedd y gaeaf mae'r tymheredd yn isel iawn ac fel mae'n mynd ymlaen i fisoedd yr haf, mae'r tymheredd yn codi✓ i 18°C.✓ Bydd hyn yn effeithio ar dwf llystyfiant oherwydd bod y tymheredd yn cynyddu uwchlaw tymheredd y tymor tyfu o 6°C✓, felly bydd y planhigion yn dechrau tyfu.✓

Sylwadau'r arholwr

Nid oes digon o fanylion gan fyfyriwr A i ennill 4 marc. Mewn unrhyw gynllun marcio pwyntiau mae'n rhaid edrych am ddigon o bwyntiau i ennill y marciau sydd ar gael. Mae ateb myfyriwr B yn wan ond mae'r ymgeisydd yn defnyddio'r wybodaeth ac yn rhoi ffigurau o'r graff sy'n gwneud cyfanswm o 4 marc.

iii) Disgrifiwch sut mae defnydd pobl o Goedwig Salcey yn debygol o effeithio ar ecosystem y goedwig. [3]

Ateb myfyriwr

Mae'n bosibl y bydd pobl yn torri rhai o'r coed a fyddai'n cael gwared â chynefinoedd anifeiliaid.✓ Hefyd, bydd pobl yn gallu dympio sbwriel mewn llynnoedd a fyddai'n gallu effeithio ar/gwenwyno'r pysgod.✓

Sylwadau'r arholwr

Mae hwn yn ateb gwan iawn. Ond, mae'r myfyriwr yn gwneud dau bwynt sydd, er eu bod yn gyffredinol, yn haeddu 2 farc. Fodd bynnag, yn hytrach nag edrych am 3 marc mae'r ymgeisydd yn llenwi'r gofod sydd ar gael ar gyfer yr ateb.

LLIFOLAU **ARHOLIAD**

Astudiwch y wybodaeth isod:

AMAZONIA LODGE, BRASIL

I gyrraedd y *Lodge* mae'n rhaid teithio mewn cwch ar hyd Afon Negro.

Mae tywysydd brodorol yn cynnig gwybodaeth am blanhigion lleol.

Mae carthffosiaeth yn cael ei hailgylchu.

Mae tŵr gwylio a llwybr rhaffau ar draws y canopi yn cynnig golygfeydd gwych.

Mae coed sydd wedi'u torri i adeiladu'r gwesty a'r llwybr rhaffau wedi cael eu hailblannu.

Cyflogir pobl frodorol yn y *Lodge*.

Gan ddefnyddio'r wybodaeth uchod yn ogystal â'ch gwybodaeth chi, eglurwch sut mae datblygu eco-dwristiaeth yn Amazonia wedi cyfrannu at ddatblygiad cynaliadwy. [5]

Pam mae natur twristiaeth yn amrywio o le i le?

Beth yw'r ffactorau, ffisegol a dynol, sy'n effeithio ar natur twristiaeth?

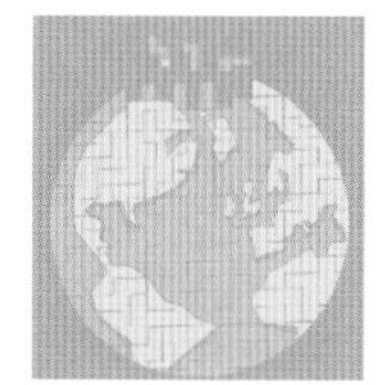

Y Pethau Pwysig

Twristiaeth: unrhyw weithgaredd lle mae person yn gadael ei gartref ac yn aros mewn lle arall am o leiaf un noson.

Twristiaeth fewnol: lle mae pobl yn ymweld â lleoedd yn eu gwlad eu hunain.

Twristiaeth ryngwladol: lle mae pobl yn ymweld â gwledydd eraill.

Rydym fel arfer yn meddwl am dwristiaeth fel mynd ar wyliau. Mae nifer o resymau eraill pam fod person yn ymweld â lle arbennig:

- gweld chwaraeon
- gweld ffrindiau neu ddathlu digwyddiad fel priodas
- rhesymau iechyd, e.e. ymweld â sba
- busnes, e.e. cynhadledd
- canmol a gallu brolio wrth ffrindiau.

Diwydiant gwasanaethu yw twristiaeth. Mae'n cynnig pleser i rai a ffynhonnell incwm i eraill drwy gynnig swyddi. Mae rhai yn cael eu cyflogi'n uniongyrchol fel cogydd mewn bwyty neu beilot awyren, ac mae eraill yn cael eu cyflogi'n anuniongyrchol, fel plismon neu ddyn yswiriant.

Mae cyrchfannau twristiaeth yn tyfu gan eu bod yn denu pobl. Dyma rai enghreifftiau:

- Dinasoedd sy'n cynnwys siopau, bwytai, theatrau, amgueddfeydd, adeiladau enwog a bywyd nos. Mae'r prif ganolfannau yn cynnwys Caerdydd, Llundain, Venezia a Las Vegas.
- Ardaloedd arfordirol sy'n cynnwys traethau ar gyfer torheulo, y môr ar gyfer chwaraeon dŵr ac amgylchedd deniadol ar gyfer gweithgareddau fel cerdded. Mae cyrchfannau gwyliau glan-môr yn cynnwys Llandudno, Dinbych-y-Pysgod, Marbella a Santa Barbara yn California.
- Mynyddoedd sy'n cynnig golygfeydd trawiadol, dringo, cerdded, sgïo, rafftio dŵr gwyn mewn afonydd cyflym, e.e. Afon Tryweryn. Mae cyrchfannau enwog yn cynnwys Eryri, yr Alpau a'r Himalayas.
- Mae hinsawdd yn ffactor bwysig. Mae'r Môr Canoldir â hafau poeth a sych sy'n berffaith ar gyfer gwyliau glan-môr. Mae eira yn y gaeaf yn yr Alpau sy'n ddelfrydol ar gyfer sgïo.
- Mae cyrchfannau fel y Garreg Las/*Bluestone* yn Sir Benfro, *Center Parcs* a *Disneyland* yn denu miloedd o ymwelwyr bob blwyddyn.

Twristiaeth yw'r diwydiant mwyaf a'r diwydiant sy'n tyfu gyflymaf yn y byd gyda throsiant o tua $700 biliwn. Hyd yn ddiweddar roedd yr diwydiant wedi'i gyfyngu'n bennaf i wledydd cyfoethog MEDd ond mae gwledydd LIEDd yn dibynnu'n fwy a mwy ar incwm o'r diwydiant erbyn hyn.

Astudiaeth Achos – Parc Cenedlaethol Arfordir Penfro

O ran amrywiaeth y bywyd gwyllt mae Parc Cenedlaethol Arfordir Penfro yn un o'r parciau mwyaf amrywiol ym Mhrydain. Mae parciau cenedlaethol yn gyfrifol am warchod yr amgylchedd a'r dreftadaeth ddiwylliannol mewn ardal tra'n cynnig mynediad i'r parc fel bod cyfle i bawb fwynhau'r amgylchedd naturiol.

Atyniadau

Mae'r rhain yn cynnwys:

- golygfeydd trawiadol – yr unig barc cenedlaethol arfordirol yn y DU
- llwybr arfordirol 186 milltir o hyd
- safleoedd treftadaeth yn cynnwys 51 o gestyll
- mynediad i gyrchfannau fel Dinbych-y-pysgod a Saundersfoot
- mynediad i fynyddoedd Preseli
- mwy na 50 o draethau gyda nifer ohonyn nhw â 'Baner Las'
- mynediad i barc thema Oakwood
- derbyn prifwyntoedd o'r de-orllewin sy'n wych ar gyfer syrffio.

Ewch amdani!

1 Defnyddiwch ddiagram Venn i nodi atyniadau ffisegol a dynol Sir Benfro mewn grwpiau. Oes yna atyniadau ffisegol sydd wedi'u 'gwella' gan bobl? Dylai'r rhain fynd yng nghanol y diagram, e.e. Gwobr 'Baner Las' i'r traethau.

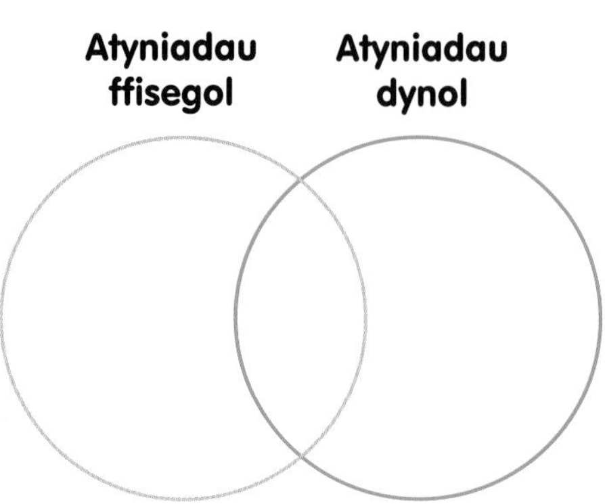

2 Defnyddiwch y canlyniadau sy'n cael eu dangos yn y diagram Venn i'ch helpu i benderfynu ai atyniadau ffisegol neu ddynol sydd bwysicaf yn Sir Benfro.

3 Ewch ati i ymchwilio. Chwiliwch am bedwar rheswm pam y mae Disneyland (neu unrhyw atyniad poblogaidd i ymwelwyr) wedi dod yn un o'r atyniadau rhyngwladol mwyaf i ymwelwyr.

Sut a pham mae twristiaeth yn newid?

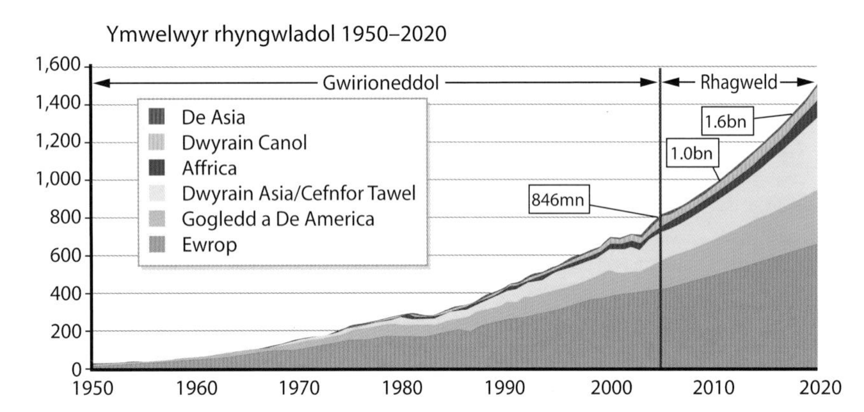

Ffigur 1 Ymwelwyr rhyngwladol – ymwelwyr sy'n cyrraedd

Ewch amdani!

1 Ewch ati i ail-wneud y tabl gan osod y gwledydd hyn yn eu trefn. Gosodwch y gwledydd sy'n derbyn yr incwm mwyaf o dwristiaeth yn gyntaf a'r gwledydd sy'n derbyn y lleiaf yn olaf.

Gwlad	$ biliwn (2007)
Sbaen	58
UDA	97
DU	38
Awstria	19
Yr Almaen	36
Ffrainc	54
China	42
Twrci	18
Yr Eidal	43
Awstralia	22

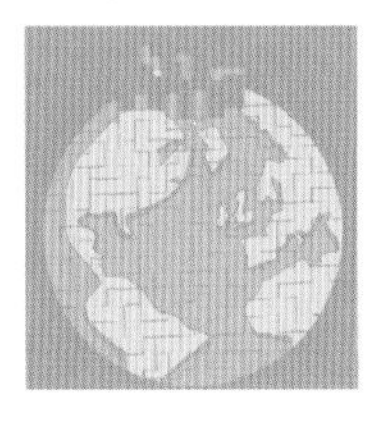

Y Pethau Pwysig

Mae nifer o ffactorau sy'n esbonio cynnydd yn y diwydiant twristiaeth ers yr 1950au. Maen nhw'n cynnwys:

- cynnydd yn nifer y swyddi sy'n cynnig gwyliau â chyflog a chyflogau uwch
- rhaglenni gwyliau ar y teledu sydd wedi codi disgwyliadau pobl
- cynnydd mewn disgwyliad oes ac ymddeol yn gynnar sydd wedi arwain at fwy o bobl hŷn yn teithio
- gostyngiad mewn prisiau hedfan a mwy o bobl yn berchen car sy'n gwneud teithio'n haws
- twf mewn gwyliau pecyn (*package holidays*) sydd wedi gwneud gwyliau yn fwy fforddiadwy
- twf y we a dulliau newydd o gyfathrebu sy'n ei gwneud yn haws i bobl wneud eu trefniadau eu hunain.

Hefyd, mae newid mawr wedi bod yn y pellter mae pobl yn fodlon teithio, yr adeg o'r flwyddyn a'r mathau o wyliau mae pobl yn eu dewis.

- Mae lleoedd pell fel Florida, Kenya, Gwlad Thai a hyd yn oed Antarctica bellach yn lle i fynd ar wyliau.
- Mae canolfannau sgïo, oedd unwaith ar gyfer y cyfoethog yn unig, bellach yn denu mwy a mwy o ymwelwyr.
- Gwelwyd cynnydd aruthrol mewn 'gwyliau byr', e.e. penwythnos mewn dinas.
- Mae cynnydd wedi bod yn nifer y cyrchfannau sydd wedi cael eu hadeiladu fel canolfannau gwyliau arbennig fel *Center Parcs*. Mae ganddyn nhw gyfleusterau sydd ddim yn ddibynnol ar dywydd.
- Mae cynnydd wedi bod mewn twristiaeth fusnes gan gynnwys cynadleddau busnes rhyngwladol.

Model Cylchred Oes

Mae daearyddwyr wedi creu model ar gyfer cylchred oes cyrchfan ar gyfer twristiaid. Mae'n cael ei rannu fel hyn:

- **Cam 1: Darganfod** – prinder cyfleusterau ar gyfer ymwelwyr, nifer bychan o deithwyr mentrus yn ymweld, e.e. Guatemala.
- **Cam 2: Datblygiad** – cyfleusterau a lleoedd aros yn cael eu codi, nifer yr ymwelwyr yn cynyddu, e.e. Gwlad Thai.
- **Cam 3: Atgyfnerthu** – cyfleusterau a gwestai ar gyfer nifer mawr o ymwelwyr, e.e. Cancun, Riviera México.
- **Cam 4: Marweidd-dra** – nifer yr ymwelwyr ar ei uchaf, nifer mawr o ymwelwyr yn creu problemau amgylcheddol a'r cyrchfannau yn dod yn llai ffasiynol, e.e. Costas yn Sbaen.
- **Cam 5: Dirywiad** – nifer yr ymwelwyr yn gostwng wrth i'r ymwelwyr edrych am atyniadau newydd mwy diddorol, e.e. Barri, Y Rhyl a Morecambe.

NEU

- **Cam 6: Adnewyddiad** – buddsoddi, hysbysebu, cyfleusterau newydd ac atyniadau sy'n denu ymwelwyr, e.e. Majorca.

Ewch amdani!

Mae rhai daearyddwyr wedi awgrymu cam arall ar gyfer y model sef **Cam 7: Cynaliadwyedd**. Nid yw'r cam hwn yn cael ei weithredu ar hyn o bryd. Dychmygwch mai chi sy'n gyfrifol am dwristiaeth mewn rhanbarth. Ewch ati i ddisgrifio ac egluro tair ffordd o gynnal twristiaeth lwyddiannus unwaith y bydd adnewyddiad yn digwydd.

Astudiaeth Achos – Cyrchfan gwyliau glan-môr traddodiadol ym Mhrydain

Mae twf twristiaeth yn y DU wedi ei ganoli yn y cyrchfannau glan-môr yn bennaf.

- 1700au – cyfnod o ddarganfod, gyda thwf y ffynhonnau a'r cyrchfannau glan-môr.
- 1800au – twf twristiaeth ar raddfa eang gydag adeiladu rheilffyrdd rhwng y dinasoedd diwydiannol newydd â chyrchfannau gwyliau fel Blackpool.
- 1950au – cyfnod o atgyfnerthu a'r nifer mwyaf o ymwelwyr.
- 1970au – cyfnod o farweidd-dra o ganlyniad i dwf cyrchfannau gwyliau y Môr Canoldir fel Benidorm a thwf y 'gwyliau pecyn'.
- 1990au – dirywiad oherwydd y tywydd ym Mhrydain ac atyniadau blêr, e.e. Margate.
- 1990au – gwelwyd adnewyddiad hefyd mewn cyrchfannau fel Blackpool gyda'i oleuadau a'r gallu i ddenu partïon o bobl ifanc. Mae cyrchfannau eraill fel Newquay yng Nghernyw wedi addasu a bellach yn denu pencampwriaethau syrffio enwog.

Beth yw effeithiau twristiaeth?

Beth yw effeithiau datblygiad twristiaeth ar bobl, economi ac amgylchedd rhanbarth mewn gwlad MEDd a rhanbarth mewn gwlad LIEDd?

Y Pethau Pwysig

Manteision Twristiaeth	Anfanteision Twristiaeth
Cynnig swyddi	Mae'r cyflogau yn gallu bod yn isel a'r swyddi yn dymhorol
Ennill arian tramor	Diwylliant lleol yn cael ei ddinistrio
Cynnig cyfoeth sy'n gallu cael ei ddefnyddio ar gyfer gwasanaethau fel iechyd ac addysg	Ecosystemau bregus yn cael eu dinistrio, e.e. twyni tywod
Cynnal y diwylliant lleol	Ffyrdd newydd, meysydd awyr a chynnydd mewn trafnidiaeth yn creu llygredd a difrod i'r amgylchedd
Amddiffyn yr amgylchedd	
Cyfleusterau newydd yn cael eu hadeiladu	

Astudiaeth Achos – Twristiaeth mewn Gwlad Mwy Economaidd Ddatblygedig – Costa del Sol

Mae'r Costa del Sol yn ne Sbaen. Hyd at yr 1960au y prif swyddi oedd amaethyddiaeth a physgota. Roedd safon byw yn yr ardal yn isel. Ers hynny, mae'r rhanbarth wedi'i drawsnewid yn un o atyniadau mwyaf poblogaidd Ewrop, gyda mwy na 7 miliwn o ymwelwyr bob blwyddyn.

Atyniadau

Ffisegol	Dynol
• Hinsawdd sych a chynnes • Traethau tywod eang • Môr cynnes • Mynyddoedd garw	• Trefi hanesyddol • Diwylliant Sbaenaidd • Rhwydwaith ffyrdd da a maes awyr • Adloniant a bywyd nos da

Effeithiau

Manteision	Anfanteision
• Maes awyr modern yn Malaga. • Ffyrdd newydd wedi'u hadeiladu, e.e. N340. • 70% o'r boblogaeth yn gweithio mewn twristiaeth. • Safon byw wedi gwella. • Crefftau traddodiadol gyda marchnadoedd newydd, e.e. gwneud les. • Rhai traethau â statws 'Baner Las'. • Gwarchodfeydd natur wedi'u sefydlu.	• Nifer o'r swyddi â chyflogau isel, swyddi dros dro neu o statws isel. • Yn ddiweddar, mae diweithdra wedi cynyddu i 30%. • Cynnydd mewn trosedd, fandaliaeth, meddwi a thrais. • Mae'r diwylliant lleol, cerddoriaeth a dawnsio ar gyfer difyrru'r ymwelwyr yn unig. • Mae nifer o'r gwestai adeiladwyd yn yr 1960au erbyn hyn yn edrych yn flêr. • Problemau trafnidiaeth ddwys. • Y môr wedi'i lygru gan garthffosiaeth a sbwriel. • Problem sicrhau cyflenwad dŵr digonol.

Twristiaeth gynaliadwy?

Erbyn diwedd yr 1990au roedd cyrchfannau'r Costa del Sol yn dirywio. Roedd prisiau yn uchel ac roedd y ddelwedd yn y cyfryngau yn isel. Ers y cyfnod hwn mae awdurdodau Sbaen wedi bod yn llwyddiannus yn ceisio adnewyddu'r diwydiant twristiaeth yn y rhanbarth.

- Gwrthodwyd yr hawl i godi adeiladau uchel gyda phwyslais bellach ar godi adeiladau traddodiadol Sbaenaidd.
- Mae'r canolfannau bellach yn rhydd o geir gyda choed yn cael eu plannu er mwyn gwella'r ddelwedd.
- Adeiladwyd ffyrdd osgoi gan leihau tagfeydd trafnidiaeth yn y trefi.
- Rhoddwyd pwyslais ar greu meysydd golff a filas moethus. Mae hyn wedi denu math newydd o ymwelydd mewn ymdrech i wella delwedd y rhanbarth.
- Mae gwyliau rhad yn cael eu cynnig yn y gaeaf er mwyn denu pobl hŷn a phobl wedi ymddeol.

Astudiaeth Achos – Twristiaeth mewn Gwlad Llai Economaidd Ddatblygedig – Kenya

- Mae twristiaeth bellach yn ddiwydiant byd-eang. Mae gwledydd fel Kenya yn awyddus iawn i ddenu ymwelwyr er mwyn hybu datblygiad.
- Roedd Kenya yn un o'r gwledydd llai economaidd ddatblygedig cyntaf i ddatblygu twristiaeth.
- Gan fod Kenya wedi bod yn rhan o'r Ymerodraeth Brydeinig roedd Saesneg yn cael ei defnyddio ac oherwydd hynny roedd yn gallu denu mwy o ymwelwyr rhyngwladol. Mae Kenya yn ennill tua $500 miliwn bob blwyddyn, ac yn derbyn mwy o incwm o dwristiaeth na thrwy allforio te a choffi gyda'i gilydd.

Atyniadau

Ffisegol	Dynol
• Hinsawdd boeth • Traethau tywod eang • Môr cynnes â riffiau cwrel • Parciau saffari	• Siarad Saesneg • Diwylliannau gwahanol • Rhwydwaith ffyrdd da a maes awyr • Costau byw isel

Effeithiau

Manteision	Anfanteision
• Cyflogi hanner miliwn o bobl. • Safon byw wedi gwella gyda mwy o ysgolion ac ysbytai. • Gwell rhwydwaith sylfaenol o wasanaethau. • Diwylliant a sgiliau traddodiadol wedi'u cynnal. • Llwythau brodorol yn abl i ennill arian, e.e. llwyth y Maasai yn gwerthu crefftau llaw. • Parciau saffari yn amddiffyn anifeiliaid rhag eu difa gan helwyr anghyfreithlon.	• Swyddi â chyflogau isel ac yn dymhorol. • Cwmnïau amlwladol yn berchen tua 80% o'r gwestai a'r cwmnïau teithio. Mae'r rhan fwyaf o'r elw yn mynd yn ôl i'r gwledydd MEDd. • Llwythau crwydrol yn cael eu gorfodi i fod yn sefydlog. Dulliau traddodiadol yn cael eu colli gyda'r brodorion yn perfformio ar gyfer ymwelwyr yn unig. • Mae alcohol a ffordd o wisgo yn gallu digio'r Mwslimiaid yn Kenya. • Mae twristiaeth ryw yn gyffredin ar hyd yr arfordir. • Dinistrio riffiau cwrel. • Pysgotwyr lleol yn colli eu bywoliaeth o ganlyniad i orbysgota. • Trafnidiaeth a phobl yn y gwarchodfeydd yn gallu creu erydiad a newid ymddygiad anifeiliaid. • Mae'r gwestai yn y Safana yn defnyddio dŵr prin.

Twristiaeth gynaliadwy?

Er bod twristiaeth yn ddiwydiant cymharol newydd yn Kenya mae'r diwydiant erbyn hyn yn dirywio. Mae ansicrwydd gwleidyddol, troseddu difrifol, aflonyddu ar dwristiaid, gorfasnachu'r parciau saffari a niweidio'r amgylchedd wedi arwain at rai ymwelwyr yn cadw draw. Mae'r llywodraeth bellach yn ceisio rhwystro'r dirywiad yma drwy'r canlynol:

- cyfyngu ar ddefnydd parciau morol a pharciau bywyd gwyllt
- hybu twristiaeth gynaliadwy lle mae cyflenwad trydan yn brin a lle mae maint y grwpiau ymwelwyr yn fach
- defnyddio pobl leol fel arweinwyr
- cyfyngu ar uchder gwestai newydd i uchder y coed yn unig
- gofyn i dwristiaid barchu arferion lleol.

Ewch amdani!

1 Ewch ati i wneud cerdyn astudiaeth achos ar gyfer Costa del Sol a Kenya. Gallwch wneud dau gerdyn gan eich bod yn cymharu a chyferbynnu dau leoliad.
2 Dewiswch ddau liw gwahanol i gyflwyno'r gwaith, sef un ar gyfer Costa del Sol ac un ar gyfer Kenya. Gwnewch yn siŵr eich bod yn cynnwys y canlynol:
   - map lleoliad ar gyfer y ddau le
   - cyflwyniad byr ar gyfer y ddau le
   - 5 atyniad ar gyfer pob cyrchfan
   - 5 effaith mae twristiaeth wedi'i gael ar gyfer pob lleoliad
   - 2 ffordd mae pob lle yn ceisio rheoli twristiaeth yn gynaliadwy.
3 Ysgrifennwch y wybodaeth ar gyfer y ddau leoliad gyferbyn â'i gilydd. Defnyddiwch liwiau gwahanol fel eich bod yn gallu cymharu a chyferbynnu.

Sut mae'n bosib datblygu twristiaeth mewn ffordd gynaliadwy?

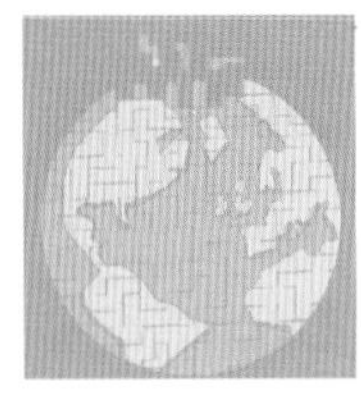

Y Pethau Pwysig

Mae pobl sy'n rheoli safleoedd gwyliau yn edrych am ffyrdd i'w rheoli yn gynaliadwy. Mae hyn yn cynnwys cyfyngu ar nifer yr ymwelwyr i osgoi difrod, e.e. Côr y Cewri (*Stonehenge*) a'r Pyramidiau yn yr Aifft.

Ym Mharc Cenedlaethol Eryri a pharciau eraill mae'r strategaethau rheoli yn cynnwys:

- darparu cynlluniau parcio a theithio i ddenu pobl i adael eu ceir y tu allan i'r parc
- cryfhau llwybrau ac annog pobl i ddefnyddio'r llwybrau
- creu safleoedd 'pot mêl' i ganoli twristiaid mewn lleoliad penodol a rheoli'r gweithgareddau
- gwneud yn siŵr bod chwareli a gweithfeydd yn cael eu hadfer wedi i'w hoes ddod i ben, e.e. Blaenau Ffestiniog.

Safleoedd 'pot mêl'

Mae'r strategaeth hon yn dewis lleoliadau poblogaidd a gadael iddyn nhw dyfu. Mae meysydd parcio mwy a thoiledau yn cael eu paratoi, gwestai a chaffis yn cael eu caniatáu a'r ffyrdd yn cael eu gwella. Drwy ei chrynhoi mewn ardal fach mae'n haws rheoli twristiaeth. Felly, mae rhai ardaloedd yn cael eu datblygu i amddiffyn y gweddill.

Eco-dwristiaeth

Mae eco-dwristiaeth neu dwristiaeth werdd yn anelu at greu gwaith i bobl leol, e.e. fel arweinwyr, tra'n amddiffyn yr amgylchedd. Y nod yw gwella ansawdd bywyd pobl heb ddinistrio eu diwylliant a'u ffordd o fyw. Fel arfer mae eco-dwristiaid yn teithio mewn grwpiau bychain ac yn ymweld â gwarchodfeydd sydd wedi'u hamddiffyn a'u rheoli.

Safle 'pot mêl': lle sydd â golygfeydd deniadol neu sydd o ddiddordeb hanesyddol sy'n denu nifer mawr o ymwelwyr fel 'gwenyn at bot mêl'.

Eco-dwristiaeth: math cynaliadwy o dwristiaeth. Mae ymdrech i osgoi difrod i'r amgylchedd ac mae'n parchu diwylliant ac arferion lleol.

Astudiaeth Achos – Eco-dwristiaeth mewn coedwig law

Mae eco-dwristiaeth yn prysur ddod yn boblogaidd mewn gwledydd sy'n datblygu ar gyfer denu arian tramor.

- Grwpiau â llai nag 20 o bobl yn aros mewn eco-fythynnod o ddefnyddiau lleol.
- Nid oes hawl gan y gwesteion i gymryd unrhyw fwyd gyda nhw i'r bythynnod i osgoi llygru'r ecosystem a phroblem sbwriel.
- Mae toiledau compost yn ailgylchu gwastraff dynol.
- Mae'r ymwelwyr yn cael eu harwain i'r goedwig law lle maen nhw'n cael eu haddysgu am y bywyd gwyllt.
- Mae llwyth brodorol yn gwerthu crefftau lleol i ennill arian.
- Mae arian sy'n cael ei wario o fewn yr economi lleol yn helpu i warchod y goedwig law.
- Mae'r bobl leol, yn ogystal â'r llywodraeth, yn gweld pwysigrwydd cynnal y goedwig.

Ffigur 3 Eco-fwthyn mewn coedwig law, Periw

Ewch amdani!

1. Ewch ati i wneud cerdyn astudiaeth achos ar gyfer eco-dwristiaeth yn y goedwig law.
2. Ewch ati i egluro cynnwys eich cerdyn i un o'ch ffrindiau ysgol. Gwnewch hyn unwaith gan ddefnyddio'r cerdyn ei hun ac yna drwy roi'r cerdyn i'ch ffrind i weld faint ydych chi'n ei gofio.

Anelu am A*

Cofiwch ddarllen y cwestiwn yn ofalus fel eich bod yn gwybod beth sydd angen i chi ei wneud. Mae'n werth 8 marc. Cofiwch fod angen cynllunio eich ateb yn ofalus fel eich bod yn ateb pob rhan o'r cwestiwn. Byddwch yn cael A* os ydych chi'n cynnwys manylion manwl, yn defnyddio termau daearyddol ac yn cynnwys astudiaethau achos. Mae'n rhaid i chi wybod eich gwaith yn ogystal â gallu defnyddio'r wybodaeth honno.

Cwestiwn enghreifftiol

Disgrifiwch pa mor llwyddiannus mae gwahanol ymdrechion wedi bod i ddatblygu twristiaeth gynaliadwy mewn rhanbarth o'ch dewis chi. [8]

Costa del Sol

Ronda
Malaga
Sierra
Maes awyr Malaga
Benelmadina
Mijas
Torremolinos
Maes awyr
Traethau
N340
Marbella
Gibraltar
Y Môr Canoldir
G
Cysylltiadau trafnidiaeth da
Pysgota

Ateb myfyriwr

Mae'r Costa del Sol wedi'i leoli yn ne Sbaen. Mae wedi bod yn gyrchfan gwyliau poblogaidd ers sawl degawd ac yn un o'r rhanbarthau cyntaf yn rhanbarth y Môr Canoldir i'w ddatblygu. Roedd pobl yn cael eu denu yno gan yr hinsawdd boeth a chynnes, traethau tywod a'r môr cynnes. Yn ystod yr 1990au fe ddechreuodd enw da'r rhanbarth ddioddef a dechreuodd twristiaeth aros yn ei hunfan neu ddirywio mewn rhai cyrchfannau. Dechreuodd twristiaid fynd i leoedd newydd a mwy trendi. Mae llywodraeth Sbaen wedi ymdrechu i adnewyddu twristiaeth. Chwalwyd hen westai ac mae gwestai newydd a chwaethus wedi cael eu hadeiladu. Mae Marbella yn cael ei farchnata fel cyrchfan drudfawr. Mae'r llywodraeth yn hybu diwylliant Sbaen, ac mae'r siopau, y bwytai a'r gwestai yn adlewyrchu hynny. Mewn ymdrech i wella'r traethau mae'r llywodraeth yn ceisio ennill mwy o'r 'Baneri Glas'. Maen nhw hefyd wedi ymdrechu'n galed i lanhau sbwriel, gyda pheiriannau'n glanhau'r traethau bob bore. Cafwyd gostyngiad mewn TAW i 6% er mwyn lleihau cost gwyliau a crëwyd atyniadau fel meysydd golff.

Sylwadau'r Arholwr

Mae hwn yn ateb da. Mae wedi'i lunio'n dda, mae'n cynnwys gwybodaeth, mae'n defnyddio'r termau daearyddol cywir yn ogystal â chynnwys astudiaeth achos. Fodd bynnag, nid yw'r ymgeisydd wedi ateb y cwestiwn yn llawn gan nad yw'r ymgeisydd wedi sôn am lwyddiant neu fethiant y strategaethau. Mae'r ateb felly yn haeddu 7 marc.

Cynllun Marcio

Lefel	Disgrifiad
1 (1–3 marc)	Gwybodaeth gyfyngedig am yr ardal a ddewiswyd. Prin yw'r ddealltwriaeth o'r cysyniad cynaliadwyedd, bydd angen i'r ymgeisydd nodi rhai camau gweithredu i hybu twristiaeth.
2 (4–6 marc)	Gwybodaeth glir o'r ardal a enwyd. Dealltwriaeth glir o'r cysyniad o gynaliadwyedd ac mae'r ateb yn disgrifio ystod o gamau gweithredu sydd wedi'u mabwysiadu i hybu twristiaeth gynaliadwy.
3 (7–8 marc)	Gwybodaeth glir a manwl o'r ardal a enwyd. Dealltwriaeth glir o'r cysyniad cynaliadwyedd. Yn disgrifio ystod o gamau gweithredu sydd wedi'u mabwysiadu i hybu cynaliadwyedd ac yn dechrau gwerthuso llwyddiant y strategaethau hynny.

LLIFOLAU **ARHOLIAD**

a) Ar gyfer rhanbarth rydych chi wedi ei astudio amlinellwch sut mae ffactorau ffisegol a dynol wedi annog datblygiad twristiaeth. [4]

b) Dychmygwch eich bod yn arweinydd llywodraeth mewn gwlad lai economaidd ddatblygedig. Mae llawer yn feirniadol o dwf twristiaeth yn eich gwlad. Ysgrifennwch araith ar gyfer yr etholwyr sy'n amlinellu eich syniadau chi. Bydd angen i chi grynhoi'r manteision posib a'r anfanteision a dweud a ydych chi o blaid datblygiadau pellach. [8]

B Y Byd Global

Thema 11: Newidiadau mewn Adwerthu a Bywyd Trefol

Sut mae canol dinasoedd Ewropeaidd yn cael eu hadnewyddu?

Sut mae canol dinasoedd Ewropeaidd yn newid?

Y Pethau Pwysig

Canol Busnes y Dref (CBD)

Nodweddion CBD yw:

- adeiladau aml-lawr uchel
- gwerth tir uchel
- siopau adrannol a siopau arbenigol fel gemyddion a siopau ffasiwn
- canolfannau siopa mawr
- adeiladau crefyddol a hanesyddol, amgueddfeydd a chestyll
- swyddfeydd, banciau ac adeiladau'r llywodraeth
- gorsafoedd bws a thrên, meysydd parcio aml-lawr.

Lleolir CBD lle mae'r ffyrdd a'r rheilffyrdd yn dod at ei gilydd. Dyma'r rhan fwyaf hygyrch o'r ddinas.

Canol Busnes y Dref (CBD) yw canolbwynt masnachol a busnes tref neu ddinas lle mae gwerth y tir ar ei uchaf.

Ffigur 1 Canol Busnes Dinas Caerdydd

Canol Busnes y Dref yn newid

Mae rhai ohonyn nhw â siopau wedi cau a golwg dlodaidd gan fod cystadleuaeth gynyddol o ganolfannau siopa y tu allan i'r dref, e.e. CBD Dudley gydag adeiladu canolfan siopa Merryhill.

Mae mesurau i adfywio CBD gan yr awdurdodau dinesig yn cynnwys:

- creu ardaloedd penodol i gerddwyr i wneud yr ardal yn fwy diogel ac yn fwy pleserus i'r siopwyr
- gwella cyfleusterau parcio a gwell trafnidiaeth gyhoeddus
- addasu hen adeiladau masnachol yn siopau trendi, bwytai ac amgueddfeydd
- gwella ardaloedd cyhoeddus fel parciau, gosod cerfluniau a dodrefn stryd newydd a phlannu coed i'w gwneud yn fwy deniadol
- adeiladu canolfannau siopa dan do fel Canolfan Dewi Sant yng Nghaerdydd a Cabot's Circus ym Mryste.

Erbyn heddiw, mae canol dinasoedd yn fwy ar gyfer adloniant a hamdden gyda sinemâu, theatrau, bwytai a barrau.

Ewch amdani!

1 Ewch ati i ysgrifennu adroddiad ar gyfer *Facebook* i ddweud beth yw'r datblygiadau diweddaraf yng Nghaerdydd, a pham bod Caerdydd yn cynnig amgylchedd pleserus ar gyfer siopa. Er enghraifft, mae Lowri Morgan yn meddwl bod Caerdydd yn wych ar gyfer siopa oherwydd ...

2 Edrychwch ar eich tref chi a thynnwch luniau o'r nodweddion sy'n cael eu rhestru.

Cofiwch, mae defnyddio enghreifftiau lleol rydych yn gwybod amdanyn nhw yn syniad da fel astudiaethau achos.

- creu ardaloedd yn rhydd o drafnidiaeth
- gwella trafnidiaeth gyhoeddus
- meysydd parcio newydd
- siopau a bwytai newydd
- codi cerflun neu ddarn o gelf
- dodrefn stryd
- plannu planhigion a choed

Astudiaeth Achos – CBD Manceinion

- Yn 1996 cafodd canol Manceinion ei bomio gan yr IRA. Arweiniodd hyn at newidiadau i sut y datblygodd y CBD wedi'r bomio.
- Y nod oedd cynnig amgylchedd deniadol ar gyfer pawb oedd yn defnyddio canol y ddinas gyda phwyslais ar ddiogelwch a chreu hyder i'r defnyddwyr.
- Mae nifer, safon ac amrywiaeth y siopau wedi cynyddu gan gynnwys gwella canolfan siopa Arndale. Mae basgedi crog a phlanhigion yn gwella golwg y ganolfan.
- Roedd y siopwyr yn cydweithio gyda'r heddlu i leihau trosedd. Gosodwyd system *CCTV* gyda mwy na 400 o gamerâu ar draws canol y ddinas. Sefydlwyd tîm ymateb cyflym oedd yn gyfrifol am ddileu fandaliaeth. Cafodd wardeiniaid trosedd hefyd eu cyflogi.
- Cafodd seddau eu symud o rannau o'r ddinas lle roedd rhai pobl yn ymgynnull gyda'r bwriad o ddwyn a malu. Y pwrpas oedd creu llai o gyfle i wneud drygioni.
- Gwelwyd cynnydd mewn tai yng nghanol y ddinas er mwyn dod a phobl yn ôl i'r canol.

Ewch amdani!

1 Ewch ati gyda dau liw gwahanol i baratoi astudiaeth achos o ddinas Manceinion. Defnyddiwch y lliw cyntaf i ddangos y rhesymau pam fod angen adnewyddu'r canol. Defnyddiwch yr ail liw i ddangos sut mae'r ddinas wedi'i hadnewyddu.
2 Anodwch y ffotograff o CBD Manceinion yn Ffigur 2 gan roi enghreifftiau o sut mae canol y ddinas wedi newid i edrych yn fwy deniadol. Defnyddiwch y wybodaeth yn y testun yn ogystal â chynnwys eich sylwadau chi.

Ffigur 2 CBD Manceinion

Y ddinas fewnol

Term arall am y ddinas fewnol (*inner city*) yw **cylchfa gyfnosi** (*twilight zone*). Mae'r ardal hon wrth ymyl CBD ac mae'n cynnwys tai teras hŷn a blociau o fflatiau.

Newidiadau i'r ddinas fewnol

Mae nifer o'r ardaloedd yn y ddinas fewnol wedi dioddef problemau amgylcheddol, cymdeithasol ac economaidd. Daeth hyn i'w benllanw gyda therfysg ar y strydoedd, e.e. Brixton yn Llundain yn yr 1980au. Ymateb y llywodraeth oedd ailddatblygu ac adnewyddu ardaloedd y ddinas fewnol.

Safle tir llwyd (*Brownfield site*): safle gydag adeiladau wedi dirywio sydd angen eu hadnewyddu i ailddatblygu'r ardal.

Mae **ailddatblygu** yn cynnwys gwella'r amgylchedd ffisegol drwy glirio hen adeiladau a datblygu busnesau a thai newydd ar safleoedd tir llwyd. Mae hyn yn creu swyddi, yn gwella ansawdd bywyd yng nghanol y dinasoedd ac yn denu pobl yn ôl i'r ardal. Yr enw ar y broses hon ydy **adfywiad**. Mae rhai o'r cynlluniau mwyaf uchelgeisiol i'w gweld yn ardal y dociau, e.e. Bae Caerdydd a'r *Docklands* yn Llundain.

Astudiaeth Achos – Bae Caerdydd – y datblygiad glan y dŵr mwyaf yn Ewrop

Ar ddechrau'r 1900au porthladd Caerdydd oedd y porthladd mwyaf yn y byd am allforio glo. Gyda dirywiad y diwydiant glo yn ne Cymru fe welwyd dirywiad yn y porthladd ac mewn ardaloedd cyfagos fel Butetown.

Yn Ebrill 1987 sefydlwyd Corfforaeth Ddatblygu Bae Caerdydd i adnewyddu ardal y dociau oedd wedi dirywio. Roedd yn rhan o Raglen Datblygiad Trefol y llywodraeth oedd â'r bwriad o adfywio ardaloedd tu mewn i'r ddinas oedd wedi dirywio ym Mhrydain. Amcan Corfforaeth Ddatblygu Bae Caerdydd oedd:

> 'I roi Caerdydd ar fap rhyngwladol o'r byd fel dinas arfordirol wych fydd yn cymharu ag unrhyw ddinas arall yn y byd, a thrwy hynny yn gwella delwedd ac economi Caerdydd a Chymru yn gyffredinol.'

Y prif nodau oedd:

1 Creu amgylchedd gwych ar gyfer pobl i fyw, gweithio a chwarae.
2 Uno canol Caerdydd â'r glannau.
3 Creu cyfleoedd newydd o ran swyddi gan adlewyrchu gobeithion y cymunedau lleol yn yr ardal.
4 Sicrhau'r safonau gorau o ran cynllunio ar gyfer pob datblygiad.
5 Sefydlu'r ardal fel canolfan ragoriaeth ac arloesi oedd yn arwain ym maes adfywiad trefol.

Bellach, mae Bae Caerdydd yn ganolbwynt ar gyfer nifer o atyniadau hamdden fel *Techniquest*, Cynulliad Cymru a Chanolfan y Mileniwm. Roedd adeiladu'r bared ar draws Afon Taf yn un o'r cynlluniau peirianneg mwyaf yn Ewrop. Cwblhawyd y gwaith yn 1999 gan greu 500 erw o ddŵr ffres gydag wyth milltir o ardaloedd glan y dŵr. Y gobaith yw y bydd y cynllun yn sbarduno twf pellach yn y dyfodol fel atyniad hamdden i dwristiaid.

Ewch amdani!

Lluniwch fap meddwl i grynhoi'r tri phrif fath o wybodaeth am Bae Caerdydd. Defnyddiwch un lliw/cangen i egluro pam fod angen ailddatblygu a buddsoddi. Defnyddiwch liw/gangen arall ar gyfer 5 prif nod yr ailddatblygu ac yna defnyddiwch liw arall i ddangos Bae Caerdydd heddiw.

Beth yw effaith newidiadau yng nghanol y ddinas ar yr hyn sy'n digwydd yn ystod y dydd a'r nos?

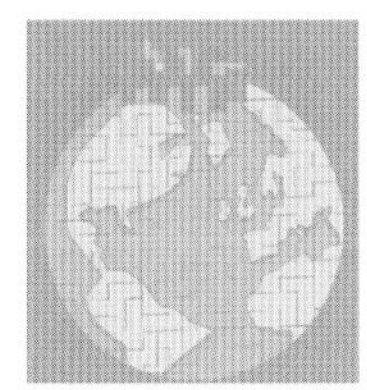

Y Pethau Pwysig

Trafnidiaeth

Mae trafnidiaeth mewn ardaloedd trefol wedi cynyddu'n syfrdanol. Mae cynnydd mewn cyfoeth wedi arwain at fwy o bobl yn berchen ceir. Hefyd mae mwy yn cymudo'n ddyddiol i ganol y dinasoedd.

Cymudwr: person sy'n byw gerllaw'r ddinas ond sy'n teithio i'w waith yn y ddinas bob dydd.

Nid yw'r rhan fwyaf o ganolfannau tref wedi'u cynllunio ar gyfer trafnidiaeth drwm. Mae hyn wedi arwain at ddamweiniau, tagfeydd trafnidiaeth a llygredd. Gwelir hyn yn arbennig yn ystod oriau brig y bore a'r hwyr. Mae'r gost i fusnesau yn uchel ac mae mwg ceir yn cyfrannu at gynhesu byd-eang.

Yn ddiweddar, mae cyflogwyr, llywodraeth a chynghorau lleol wedi ceisio lleihau tagfeydd trafnidiaeth drwy wneud y canlynol:

- cyflwyno **oriau hyblyg** i osgoi'r oriau brig
- gwella **trafnidiaeth gyhoeddus**, e.e. tramiau yn Sheffield
- gwella rheoli trafnidiaeth gan gynnwys creu **lonydd bws**, agor **meysydd parcio a theithio** a denu mwy i ddefnyddio'r **beic**
- cyflwyno **tâl arbennig** ar gyfer cerbydau sy'n mynd i ganol y ddinas yn ystod yr wythnos, e.e. Llundain.

Trosedd ac ymddygiad gwrthgymdeithasol

Mae dinasoedd yn dod yn ganolfannau ar gyfer adloniant a hamdden. Yn ystod y dydd mae pobl yn cael eu denu i'r siopau a'r atyniadau ar gyfer twristiaid. Mae'r theatrau a'r clybiau yn boblogaidd yn ystod y nos.

Ymddygiad gwrthgymdeithasol: ymddygiad ymosodol a heriol sy'n dinistrio ansawdd bywyd rhywun arall.

Oherwydd maint y boblogaeth yn y canol mae cynnydd wedi bod mewn trosedd ac ymddygiad gwrthgymdeithasol. Yn ystod y dydd gwelwyd cynnydd mewn mân droseddau fel dwyn o siopau neu bobl. Yn ystod y nos mae problem goryfed wedi arwain at ymddygiad gwrthgymdeithasol a thrais.

Mae'r awdurdodau wedi bod yn chwilio am fesurau i geisio gwella'r sefyllfa. Un dull yw creu **Gorchmynion Ardaloedd Cyhoeddus Penodol** sy'n rhoi pwerau i blismyn reoli goryfed mewn ymdrech i wella'r sefyllfa.

Natur gyfnewidiol y cymdeithasau sy'n byw yng nghanol y ddinas

Yn ddiweddar, mae mwy o bobl yn byw yn ardal y CBD yn ogystal â gwella ardaloedd sy'n dangos olion dirywiad. Mae'r symudiad hwn yn rhannol oherwydd costau teithio, a'r amser mae'n ei gymryd i deithio i'r canol a pholisïau adnewyddu'r llywodraeth. Ffactor pwysig arall ydy'r cynnydd yn nifer y bobl sengl o bob oed mewn cymdeithas. Mae canol y ddinas gyda'i siopau a'i gyfleusterau adloniant yn denu llawer i fyw yno.

Y term am y symudiad hwn o bobl fwy cefnog yn symud i mewn i'r ddinas fewnol yn ogystal â gwella'r tai yw **boneddigeiddio**. Mae'r broses hon wedi arwain at newidiadau yng nghanol y dinasoedd:

- Mae cyfraddau incwm yn cynyddu tra bod nifer y plant yn lleihau.
- Oherwydd y cynnydd mewn rhenti a phrisiau tai, mae rhai pobl sy'n byw yma yn cael eu gorfodi i symud allan o'r ardal.
- Efallai y bydd ffatrïoedd yn cau a'r tir yn cael ei ailddatblygu ar gyfer tai. Bydd swyddi hefyd yn cael eu colli.
- Mae sefydlu busnesau newydd sy'n anelu at gwsmeriaid mwy cefnog yn denu pobl i symud i fyw yno.
- Efallai na fydd y boblogaeth leol yn gallu fforddio'r atyniadau newydd.

Mae symudiadau poblogaeth hefyd wedi newid y cymysgedd economaidd a chymdeithasol mewn dinasoedd. Mae hyn wedi gwneud sawl ardal drefol yn amlddiwylliannol. Gwelir mewnfudwyr o dras ethnig a chefndir diwylliannol tebyg yn crynhoi at ei gilydd am sawl rheswm:

- Pobl yn dewis byw yn agos at bobl o'r un cefndir, crefydd neu iaith.
- Pobl eisiau byw yn agos at wasanaethau sy'n bwysig i'w diwylliant nhw, e.e. mannau addoli.
- Pobl o'r un cefndir ethnig yn aml yn cael eu cyfyngu yn eu dewis o dai oherwydd prisiau tai neu wrthwynebiad y boblogaeth wreiddiol.

Mae natur amlddiwylliannol dinasoedd cyfoes yn eu gwneud yn ardaloedd bywiog i fyw ac i ymweld â nhw. Fodd bynnag, mae achosion lle mae crynhoi pobl ar sail cefndir ethnig neu ddiwylliannol yn gallu arwain at densiwn cymdeithasol neu hyd yn oed drais.

Mae strategaethau i reoli'r sefyllfa mewn dinasoedd amlddiwylliannol wedi'u hanelu at greu cyfleoedd cyfartal i bawb yn hytrach na'u gorfodi i gymysgu. Un o'r strategaethau hyn ydy paratoi pamffledi mewn amryw ieithoedd a recriwtio heddlu o wahanol gefndiroedd ethnig.

Beth yw'r patrymau presennol o adwerthu mewn dinasoedd Ewropeaidd?

Ble mae adwerthu'n digwydd mewn dinas?

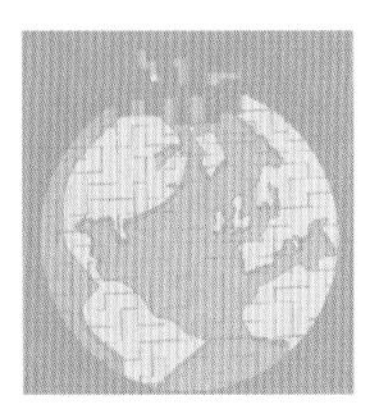

Y Pethau Pwysig

Hierarchaeth siopa

Mae'n bosib trefnu siopau yn ôl y gwasanaethau maen nhw'n eu cynnig.

- Mae siopau bach sy'n gwerthu bwydydd sylfaenol fel bara a llaeth ar waelod yr hierarchaeth. Fel arfer mae'r rhain wedi'u lleoli yn y stryd fawr yn y maestrefi a'r canolfannau lleol.
- Ar ben yr hierarchaeth mae siopau mwy sy'n gwerthu nwyddau drutach fel dodrefn neu nwyddau trydanol. Mae'r rhain wedi'u lleoli'n aml yn y CBD.

Adwerthu: gwerthu nwyddau, gan amlaf mewn siopau, i'r cyhoedd ar gyfer eu defnydd personol.

Ers dechrau'r 1980au mae adwerthu wedi symud i leoliadau ar yr ymylon trefol-gwledig. Mae canolfannau siopa rhanbarthol a lleoliadau y tu allan i'r trefi wedi cymryd drosodd o'r CBD yn yr hierarchaeth siopa, e.e. *Meadowhall* a *Merry Hill*.

Mae canolfannau siopa ar yr ymylon trefol-gwledig yn cynnwys:

- **uwchfarchnadoedd** fel *Tesco*, sydd gan amlaf yn cynnwys gorsaf betrol
- **parciau adwerthu** sy'n cynnwys siopau mawr yn gwerthu nwyddau fel dodrefn, cynnyrch gardd, carpedi, *DIY* a dillad
- **canolfannau siopa rhanbarthol** sy'n cynnwys meysydd parcio mawr a chanolfan siopa dan do, e.e. *John Lewis* a chwmnïau eraill fel *Body Shop*, bwytai a sinemâu
- **allfa adwerthu** lle mae cwmnïau mawr yn gwerthu nwyddau am brisiau is oherwydd eu bod yn gwerthu nwyddau oedd yn rhan o ffasiwn y flwyddyn flaenorol, e.e. Pen-y-bont ar Ogwr.

Astudiaeth Achos – Cribbs Causeway

Mae Cribbs Causeway yn ganolfan siopa fawr yng ngogledd Bryste. Mae'n hawdd teithio i'r ganolfan ar yr A4018 o Fryste ac o'r M5. Mae canolfan siopa *The Mall* yn derbyn tua 14 miliwn o ymwelwyr bob blwyddyn. Y ganolfan siopa arall yw Cabot's Circus.

- Agorwyd *The Mall* ar 31 Mawrth, 1998 ac mae'n cynnwys 135 o siopau ar ddwy lefel.
- Yng nghanol y ganolfan mae ffynnon ac mae'r arian sy'n cael ei daflu i'r dŵr yn cael ei roi i elusennau lleol.
- Uwchlaw'r ffynnon mae lle bwyta eang sy'n cynnwys amrywiaeth o fwytai fel *KFC* a *Bella Italia*.
- Mae grisiau symudol a lifftiau ar gael i fynd â phobl o un llawr i'r llall. Mae hefyd yn cynnwys y *Venue* sy'n cynnwys sinema aml-sgrin a chanolfan fowlio.
- Mae dwy siop fawr yn y *The Mall* sef *John Lewis* a *M&S* sef y prif siopau neu'r **siopau angor**. Mae siopau eraill hefyd fel dillad ffasiwn a gemyddion.
- Mae mwy na 7,000 o leoedd parcio am ddim. Mae gwasanaethau bws i Fryste yn ogystal â threfi fel Weston Super Mare, Caerfaddon a Cwmbrân.

Mae Canolfan Cribbs Causeway yn cynnwys dau barc adwerthu arall sy'n cynnwys siopau fel *Curry's*, *Halfords*, *Toys 'R' Us*, *DFS* a Chanolfan Busnes Cribbs.

Ewch amdani!

Rydych yn rheolwr cyffredinol yn Cribbs Causeway. Yn dilyn ailddatblygu canol Bryste a chodi canolfan siopa newydd yn Cabot's Circus bydd angen i chi baratoi ymgyrch hysbysebu i ddenu pobl i ymweld â'ch siop chi. Penderfynwch pa nodweddion a pha elfennau y byddwch am dynnu sylw atyn nhw yn eich ymgyrch. Beth am gyflwyno eich ymgyrch i'ch ffrindiau?

Sut mae adwerthu'n newid?
Pa effaith mae hyn yn ei chael ar bobl a'r amgylchedd?

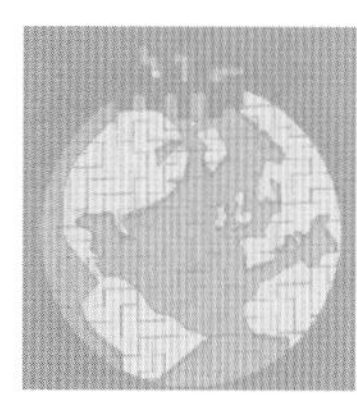

Y Pethau Pwysig

Siopa tu allan i'r dref

Amcangyfrifir bod 80% o'r siopau newydd sydd wedi'u hagor ers yr 1980au wedi'u hadeiladu y tu allan i'r dref. Y ganolfan ranbarthol fawr gyntaf i gael ei hadeiladu ym Mhrydain oedd Canolfan Metro, Gateshead.

Mae tai, meysydd golff, rhandiroedd, parciau busnes a meysydd awyr i gyd wedi eu lleoli ar y ffin rhwng yr ardaloedd trefol a gwledig. Mae'r amrywiaeth yma o ddefnydd tir wedi arwain at wrthdaro rhwng gwahanol grwpiau sydd ag anghenion a buddiannau gwahanol.

Mae sefydlu canolfannau siopa y tu allan i'r trefi wedi digwydd oherwydd:

- Canran uwch o bobl yn berchen car.
- Lleoliad yn ymyl y priffyrdd yn gwneud dosbarthu nwyddau i'r siopau yn haws yn ogystal â'i gwneud yn haws i siopwyr eu cyrraedd.
- Digon o dir agored ar gyfer meysydd parcio sy'n denu modurwyr. Yn wahanol i ganol dinasoedd nid oes problem parcio na thagfeydd trafnidiaeth.
- Gwerth tir yn is o'i gymharu â CBD. Mae hyn yn caniatáu i siopau gael digon o le i'w nwyddau yn ogystal â chadw eu prisiau yn is. Oherwydd eu maint maen nhw'n gallu cadw mwy o stoc amrywiol.
- Maen nhw gerllaw maestrefi a stadau tai sydd â chyflenwad o weithwyr. Mae llawer o'r swyddi yn cyflogi merched, yn rhan-amser ac yn golygu gweithio'n hwyr yn aml.

Mae adeiladu canolfannau y tu allan i'r dref wedi achosi problem i ganol dinasoedd. Collwyd llawer o gwsmeriaid ac mae llawer o siopau bach lleol wedi cau. Mae siopau disgownt neu siopau elusen yn aml wedi llenwi'r bwlch. Nid yw'r canolfannau y tu allan i'r dref yn gyfleus i bobl hŷn a'r rhai sydd heb gar. Mae grwpiau amgylcheddol yn aml yn gwrthwynebu datblygiadau newydd gan ei fod yn golygu colli ardal tir glas a chynnydd mewn llygredd o geir. Arweiniodd cau siopau yng nghanol y ddinas a'r crynhoi ar ymylon y ddinas at greu canolfannau 'gwag' mewn rhai dinasoedd. Disgrifiwyd hyn am y tro cyntaf yn yr UDA fel 'donut' gyda'r gwacter yn y canol.

Y Rhyngrwyd

Mae siopa ar-lein wedi cynyddu. Mae siopa ar-lein yn boblogaidd gan ei fod yn gyfleus ac yn rhatach yn aml. Dyma rai o'r manteision a'r anfanteision:

Manteision	Anfanteision
• Cwsmeriaid yn gallu prynu nwyddau sydd ddim ar gael yn lleol neu am bris rhatach. • Cwsmeriaid yn gallu prynu o gynhesrwydd y cartref beth bynnag yw eu gallu i deithio. • Mae'n cymryd llai o amser. • Lleihau tagfeydd trafnidiaeth. • Swyddi ar gyfer y rhai sy'n dosbarthu'r nwyddau.	• Dydy pawb, yn arbennig pobl hŷn, ddim â mynediad i'r rhyngrwyd. • Efallai na fydd y nwyddau yn cyrraedd yn ôl y disgwyl a'u bod yn anodd eu dychwelyd. • Siopau yn colli busnes a swyddi yn cael eu colli. • Mwy o faniau dosbarthu yn teithio'r wlad gan greu tagfeydd trafnidiaeth a llygredd.

Astudiaeth Achos – Amazon.co.uk

Agor warws newydd – y we yn creu swyddi

16 Ebrill 2008

Mae canolfan ddosbarthu ar gyfer yr adwerthwr ar-lein *Amazon* sy'n gyfatebol i 10 cae pêl-droed o ran maint wedi'i hagor yn swyddogol ym Mae Abertawe.

Mae'r safle yn Jersey Marine yn debygol o greu 1,200 o swyddi llawn-amser newydd yn ystod y 5 mlynedd nesaf a thua 1,500 o swyddi tymhorol. Dywedodd Rhodri Morgan, y Prif Weinidog, yn yr agoriad ei fod yn '*... powerful shot in the arm*' i economi Cymru. Fodd bynnag, rhybuddiodd undeb *Unite* i beidio dibynnu ar swyddi sector gwasanaethu. Y warws yw'r bedwaredd ganolfan ddosbarthu i'r cwmni yn y DU a'r fwyaf.

Yn ôl Mr Morgan '*To have such a big name in e-commerce set up a major European base in Swansea Bay is an outstanding achievement for Wales*'.

Gwefan BBC: http://news.bbc.co.uk/1/hi/wales/7349546.stm

Ewch amdani!

1 Gwnewch arolwg sydyn drwy holi 10 person (o oedrannau gwahanol os yn bosib) i weld a ydyn nhw'n defnyddio'r rhyngrwyd i siopa. Holwch beth maen nhw'n ei brynu a pha mor aml maen nhw'n prynu, pam eu bod yn defnyddio'r rhyngrwyd ac unrhyw wybodaeth arall am eu harferion siopa ar y rhyngrwyd.
2 Beth mae'r canlyniadau yn ei ddangos? Pam yn eich barn chi y cafwyd y canlyniadau hyn?
3 Siaradwch â rhywun sydd ddim yn gyrru neu sydd heb y rhyngrwyd yn ei gartref. Holwch nhw sut mae twf canolfannau y tu allan i'r dref neu'r cynnydd mewn siopa ar y rhyngrwyd wedi effeithio arnyn nhw. Oes yna fanteision neu anfanteision iddyn nhw?
4 Yn olaf, cwblhewch y tabl isod sy'n dangos sut mae'r amgylchedd yn cael ei effeithio gan y newidiadau mewn adwerthu.

Cynnydd mewn siopa ar y rhyngrwyd – effeithiau cadarnhaol	Cynnydd mewn siopa ar y rhyngrwyd – effeithiau negyddol	Datblygiad canolfannau y tu allan i'r dref – effeithiau cadarnhaol	Datblygiad canolfannau y tu allan i'r dref – effeithiau negyddol

Sut mae newid mewn dewis i'r defnyddiwr yn Ewrop yn cael effaith fyd-eang?

Pa effaith mae cynnydd mewn dewis i'r defnyddiwr yn ei chael ar bobl mewn gwledydd sy'n datblygu? Beth yw'r effaith ar amgylchedd y byd?

Hyd at yr 1960au roedd pobl gan amlaf yn bwyta dewis bychan o fwyd a gynhyrchwyd yn lleol neu o fewn y wlad. Bellach, mae pobl am weld amrywiaeth o fwydydd sy'n cael eu tyfu drwy gydol y flwyddyn, heb unrhyw gysylltiad â'r tymor tyfu. Mae llawer o'r bwydydd ar silffoedd yr uwchfarchnadoedd bellach yn cael eu mewnforio. Mae hyn wedi arwain at effeithiau cadarnhaol:

- marchnad ar gyfer ffermwyr y gwledydd LIEDd
- cyflogaeth i weithwyr ffatrïoedd mewn gwledydd LIEDd a gwledydd MEDd
- mwy o amrywiaeth o nwyddau a nwyddau sy'n aml yn rhatach ar gyfer defnyddwyr Ewrop.

Mae globaleiddio wedi trawsnewid y diwydiant adwerthu. Er enghraifft, mae mewnforio dillad wedi trawsnewid y diwydiant ffasiwn drwy gynnig dillad rhesymol i ddefnyddwyr y gwledydd MEDd. Mae hefyd wedi cynnig cyflogaeth i filoedd o weithwyr gwledydd LIEDd. Fodd bynnag, mae llawer o'r bobl hyn yn gweithio dan amodau anodd iawn.

Astudiaeth Achos – *Wal-Mart*

Agorodd Sam Walton ei siop gyntaf yn Arkansas, UDA yn 1962. Agorwyd mwy o siopau ar draws UDA ac yn fwy diweddar ar draws y byd, e.e. México, Japan, Brasil a'r DU (*Asda*). Mae *Wal-Mart* yn gwerthu amrywiaeth o nwyddau, bwyd, dillad a nwyddau trydanol. Bellach, dyma'r adwerthwr mwyaf yn y byd gyda 8,000 o siopau sy'n cyflogi mwy na 2 filiwn o bobl.

Manteision *Wal-Mart*	Anfanteision *Wal-Mart*
• Mae pob siop yn creu tua 500 o swyddi. • Mae *Wal-Mart* yn cyfrannu miliynau o ddoleri i wella ysgolion, gofal iechyd a'r amgylchedd yn y wlad lle mae'n sefydlu.	• Mae gweithwyr yn China yn gweithio am $1 yr awr. • Mae rhai cwmnïau sy'n gwerthu i *Wal-Mart* yn gweithio am oriau hir dan amgylchiadau caled, e.e. cwmni *Beximco* yn Bangladesh sy'n cyflenwi dillad i *Wal-Mart*.

Astudiaeth Achos – Gweithdai cyflog isel (*Sweatshops*)

- Mae gweithdai cyflog isel yn cael eu hystyried fel mannau gweithio caled a pheryglus. Prin iawn yw hawliau'r gweithwyr. Mae peryglon yn cynnwys anadlu sylweddau peryglus, eithafion tymheredd neu gael eu cam-drin gan y cyflogwr.
- Mae'r oriau gwaith yn hir a'r cyflog yn isel er gwaethaf deddfau lleol ar gyflogau ac oriau. Mae llawer o'r gweithwyr yn ferched ac mae enghreifftiau o ddefnyddio plant.
- Maen nhw'n gallu bod mewn unrhyw wlad gan gynnwys gwledydd LIEDd neu MEDd.
- Yn defnyddio technoleg is ar gyfer cynhyrchu nwyddau fel teganau, esgidiau, dillad a dodrefn.
- Mae rhai yn dadlau bod y cyflogau a'r amodau yn well na'r amodau gweithio ar y tir. Dyma'r cam cyntaf i ddatblygiad economaidd.

Cost amgylcheddol globaleiddio

Mae llawer yn poeni am gost globaleiddio o ran difrod i'r amgylchedd yn ogystal â chost cymryd mantais ar y gweithwyr. Mae cludo nwyddau yn bell yn cynhyrchu CO_2. **Taith fwyd** yw'r pellter y mae'r bwyd yn cael ei gludo. Wrth i'r pellter gynyddu mae mwy o CO_2 yn cael ei ryddhau sy'n ychwanegu at gynhesu byd-eang. Mae'r CO_2 sy'n cael ei greu wrth dyfu a chludo bwyd yn cael ei alw yn **ôl-troed carbon**.

Masnach deg

Mae ffermwyr sy'n ffermio cnydau fel coffi a choco mewn gwledydd LIEDd fel arfer yn gwneud elw bach iawn. Mae'r elw mwyaf yn cael ei wneud gan y cwmnïau amlwladol sy'n rheoli'r fasnach. Mae masnach deg yn un ffordd o roi gwell cyfle i'r ffermwyr dderbyn tâl teg am eu cynnyrch. Mae'r cynllun yn anelu at roi isafswm cyflog, amgylchiadau gwaith diogel, cyfyngu ar y defnydd o blant fel gweithwyr, amddiffyn yr amgylchedd a gwell addysg a chyfleusterau iechyd. Bellach, mae cynhyrchion masnach deg i'w gweld ar silffoedd uwchfarchnadoedd. Mae masnach deg wedi gweld cynnydd mawr yn ddiweddar.

Ewch amdani!

Mae'r thema hon yn cynnwys llawer o ddiffiniadau a thermau. Ewch ati i adolygu'r rhain drwy baratoi cardiau ar gyfer ysgrifennu'r geiriau allweddol (wedi'u nodi mewn print trwm) a chardiau eraill ar gyfer ysgrifennu'r diffiniadau. Cymysgwch y cardiau a cheisiwch osod y term gyda'r diffiniad cywir ar gyfer pob un ohonyn nhw.

Deall mapiau

Mae mapiau yn hanfodol i'r daearyddwr. Mae'n debygol y bydd o leiaf un o'ch cwestiynau TGAU yn cynnwys Map Ordnans. Mae'n debygol iawn hefyd y bydd cwestiynau eraill yn cynnwys mapiau syml neu linfapiau. Mae'n bwysig iawn felly eich bod yn gyfarwydd â sut i ddarllen map fel eich bod yn gallu gwneud y canlynol:

- Darllen arwyddion, rhoi cyfeiriadau grid a chyfeiriad, mesur pellter, defnyddio graddfa a deall cyfuchlinau.
- Disgrifio arweddion daearyddol sy'n cael eu dangos ar y map, e.e. arweddion ffisegol fel dyffrynnoedd ac arweddion dynol fel cyfathrebu.

Cwestiwn enghreifftiol

Astudiwch y llinfapiau.

i) Cyfrifwch y pellter yn fras os ydych chi'n teithio unwaith ar y gylchffordd. [1]

ii) Disgrifiwch ddosbarthiad siopau papurau yn y ddinas hon. [3]

iii) Cymharwch ddosbarthiad y siopau esgidiau â dosbarthiad y siopau papurau yn y ddinas. [3]

iv) Eglurwch ddosbarthiad y siopau papurau a'r siopau esgidiau yn y ddinas hon. [4]

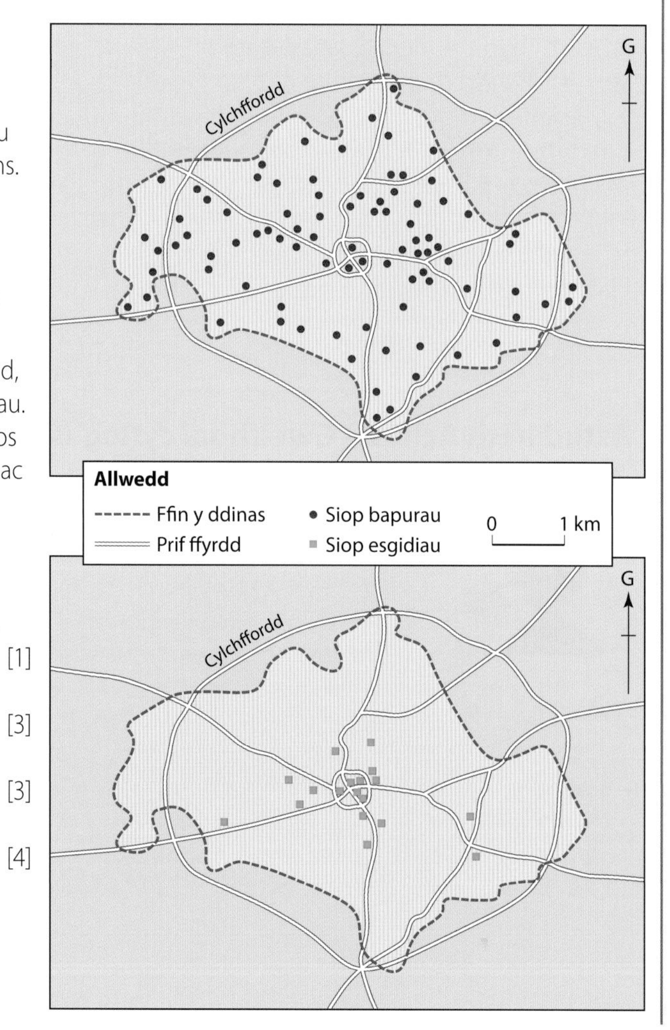

Ateb myfyriwr

i) 14 km
ii) Mae llawer o siopau papurau ar hyd y prif ffyrdd.✓ Maen nhw wedi'u dosbarthu'n gyson✓ trwy'r ddinas.
iii) Mae siopau esgidiau i'w gweld yng nghanol y ddinas✓ a dim ond ar hyd y prif ffyrdd.✓ Mae siopau papurau wedi eu dosbarthu'n gyson drwy'r ddinas. Mae mwy o siopau papurau✓ na siopau esgidiau.
iv) Mae siopau papurau i'w gweld mewn sawl rhan o'r ddinas gan eu bod yn siopau cyfleuster✓ a dydy pobl ddim eisiau teithio ymhell.✓ Mae siopau esgidiau i'w gweld yng nghanol y ddinas lle mae'r rhan fwyaf o siopau i'w gweld.

Sylwadau'r arholwr

Mae'r atebion yma gan yr un ymgeisydd. Er ei bod yn amlwg bod yma ymgeisydd da sydd â dealltwriaeth dda o'r pwnc dydy'r ymgeisydd ond yn ennill marciau llawn (3 marc) ar ran (iii).

i) Y pellter ydy 16.8 km. Yn yr arholiad bydd ystyriaeth yn cael ei rhoi ar gyfer unrhyw ateb rhwng 16 ac 18 km.
ii) Mae'r ymgeisydd yn deall ystyr dosbarthiad ond mae'n gwneud dau bwynt yn unig.
iii) Tri phwynt wedi'u cynnwys = 3 marc.
iv) Dim ond dau bwynt o eglurhad yma. Mae'r frawddeg am siopau esgidiau yn disgrifio ond heb *egluro* fel y mae'r cwestiwn yn ei ofyn.

LLIFOLAU **ARHOLIAD**

Astudiwch y Map Ordnans isod.

i) Rhowch gyfeirnod pedwar ffigur ar gyfer Canolfan y Metro (*Metro Centre*). [1]
ii) Enwch un cyfleuster hamdden sydd i'w weld yng nghyfeirnod 211628. [1]
iii) Mae'r ardal sydd wedi'i marcio gan Focs A ar y map yn dangos CBD Newcastle. Defnyddiwch dystiolaeth o'r map yn unig i restru tair arwedd nodweddiadol o'r CBD. [3]
iv) Canolfan y Metro yn sgwâr 2162 yw'r ganolfan siopa tu-allan-i'r-ddinas fwyaf yn Ewrop. Defnyddiwch y Map Ordnans i ddisgrifio lleoliad y Ganolfan. [3]
v) Eglurwch pam mae llawer o bobl yn dewis siopa yn y math yma o ganolfan siopa yn lle siopa yn y CBD. [4]

Ffigur 3 Rhan o Fap Ordnans 1:50,000 Newcastle upon Tyne [*Landranger 88*]

Thema 12: Newid Economaidd a Chymru

Beth yw'r gwahanol fathau o gyflogaeth yng Nghymru?

Sut ydyn ni'n dosbarthu gwaith a chyflogaeth?

Strwythur cyflogaeth: y gyfran o'r boblogaeth mewn ardaloedd penodol sy'n gweithio mewn sectorau gwahanol.

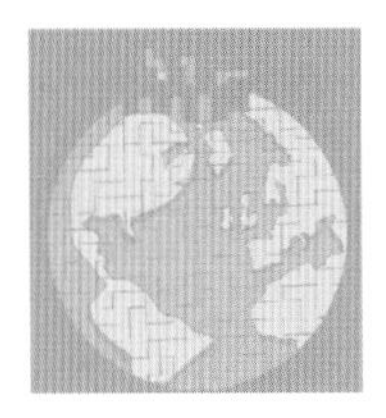

Y Pethau Pwysig

Mae 4 math o ddiwydiant:

- **Diwydiant cynradd** – echdynnu adnoddau o'r môr neu'r tir. Mae'n cynnwys ffermio, pysgota, coedwigaeth, mwyngloddio glo a drilio am olew. Mae'n cael ei leoli lle mae'r adnoddau i'w cael.
- **Diwydiant eilaidd** – hefyd yn cael ei adnabod fel y diwydiant **gweithgynhyrchu**. Mae defnyddiau crai yn cael eu trin i wneud pethau a'u gosod gyda'i gilydd ar gyfer pobl. Er enghraifft, mae'r car yn cael ei wneud drwy osod cydrannau gyda'i gilydd sydd wedi'u gweithgynhyrchu gan gwmnïau eraill.
- **Diwydiant trydyddol** – yn cynnig gwasanaeth. Mae'n cynnwys pobl fel meddygon, athrawon, cyfreithwyr a gweithwyr siop.
- **Diwydiant cwarternaidd** – yn ymwneud ag ymchwil, datblygiad, technoleg gwybodaeth a chyfathrebu. Mae'n cynnwys cyflogaeth mewn ymchwil meddygol, bancio a'r diwydiannau cyfrifiadurol.

Mae'n bosib rhannu gwaith hefyd yn ôl y **sector cyhoeddus** a'r **sector preifat**. Mae'r sector cyhoeddus yn cynnwys athrawon, gweithwyr cymdeithasol a'r heddlu. Mae gweithwyr y sector preifat naill ai yn gweithio iddyn nhw eu hunain neu i gwmni sydd ddim yn eiddo i'r llywodraeth fel *Sony* neu *Tesco*. Yng Nghymru mae'r rhaniad rhwng y ddau sector yn weddol gyfartal.

Ewch amdani!

Ewch ati i chwarae 'beth ydy'r gwahaniaeth' rhwng y ddau siart cylch yn Ffigur 1. Faint o wahaniaethau sydd?

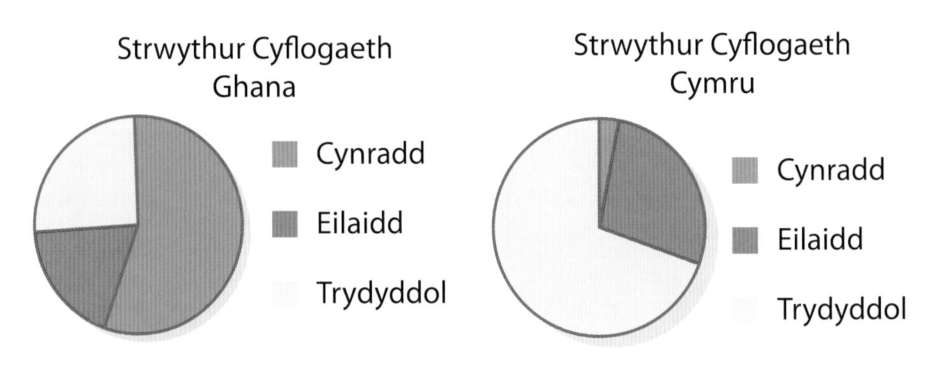

Ffigur 1 Strwythur cyflogaeth yng Nghymru a Ghana

Oes yma batrwm i'r dosbarthiad hwn?

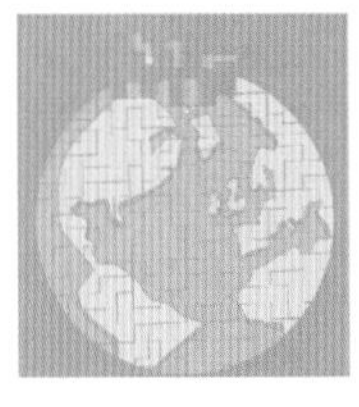

Y Pethau Pwysig

Diwydiant Cynradd

Mae llai na 3% o boblogaeth Cymru yn gweithio'n uniongyrchol mewn amaethyddiaeth, er mai ffermio sy'n dominyddu defnydd tir y wlad.

- Mae amaethyddiaeth yn arbennig o bwysig yng nghanolbarth a gorllewin Cymru.
- Mae 80% o'r tir ffermio yn cael ei ddosbarthu gan yr UE yn **'Ardaloedd Llai Ffafriol' (ALFf)** lle mae ffermio defaid neu goedwigaeth yn dominyddu.
- Mae gwartheg godro a chnydau yn bwysig ar dir isel yn y gorllewin, e.e. tatws yn sir Benfro.
- Mae Powys yn enwog am ei gwartheg eidion.
- Mae gogledd-ddwyrain Cymru â rhai o'r priddoedd mwyaf ffrwythlon yn y wlad ac mae'n bwysig ar gyfer llaethydda a thyfu cnydau.

Ardal Lai Ffafriol (ALFf): ardal sydd wedi'i chlustnodi gan yr UE. Yma, mae'r tir yn rhy fynyddig i ddefnyddio peiriannau, mae'n rhy wlyb i dyfu cnydau, mae â photensial cyfyngedig ar gyfer datblygiad ac mae'n rhoi incwm sy'n llai na'r cyfartaledd cenedlaethol.

Roedd y diwydiant glo a'r diwydiant llechi yn arfer bod yn gyflogwyr pwysig. Erbyn heddiw, mae'r diwydiant mwyngloddio yn cyflogi llai na 1% o'r boblogaeth. Mae'r diwydiant glo bellach yn parhau mewn pyllau glo preifat fel cloddfa ddrifft Aberpergwm yng Nghwm Nedd.

Mae'r diwydiant llechi wedi dirywio ond yn dal yn gyflogwr pwysig yng ngogledd-orllewin Cymru. Mae galw mawr am aur Cymru sy'n cael ei gloddio ger Dolgellau gan nifer bychan o weithwyr. Mae sawl pwll glo a chwarel lechi wedi dod yn atyniad poblogaidd i ymwelwyr fel *Big Pit* ym Mlaenafon.

Diwydiant eilaidd

Mae tua 20% o boblogaeth Cymru yn cael eu cyflogi gan y diwydiant gweithgynhyrchu. Nid yw'r swyddi wedi'u dosbarthu'n gyfartal gyda'r ardaloedd pwysicaf yn ne a gogledd-ddwyrain Cymru.

Llwyddwyd i ddenu diwydiannau gweithgynhyrchu technoleg uwch ar hyd **coridor yr M4** yn ne Cymru er bod nifer ohonyn nhw bellach wedi symud i wledydd eraill. Mae'r diwydiant gweithgynhyrchu yng ngogledd Cymru wedi'i ganoli yn y gogledd-ddwyrain, e.e. *Airbus* yn Brychdyn, Glannau Dyfrdwy.

Mae'r diwydiannau gweithgynhyrchu technoleg uwch yn enghraifft o ddiwydiant '**rhydd symudol**' (*footloose*) sy'n gallu symud yn hawdd i leoliadau newydd. Caewyd gwaith *Bosch* yn Llantrisant yn ddiweddar.

Diwydiant 'rhydd symudol': diwydiant sydd heb ei gyfyngu i fod gerllaw defnyddiau crai ac sy'n gallu sefydlu mewn unrhyw le.

Diwydiant trydyddol

Diwydiant trydyddol yw'r cyflogwr mwyaf ym mhob rhan o Gymru. Mae gwasanaethau wedi'u canoli mewn **ardaloedd trefol** ac mewn **cyrchfannau glan-môr**. Mae dinasoedd a threfi fel Caerdydd, Abertawe, Casnewydd, Aberystwyth, Llandudno a Wrecsam yn ganolfannau siopa pwysig. Caerdydd yw prifddinas Cymru a lleoliad y Cynulliad Cenedlaethol.

Mae'r dinasoedd a'r trefi mawr gyda nifer mawr o bobl yn gweithio mewn llywodraeth leol, ysgolion, iechyd a chludiant. Mae cyrchfannau glan-môr fel Dinbych-y-pysgod, Rhyl, Bae Colwyn a Porthcawl gyda nifer o weithwyr yn gweithio yn y diwydiant hamdden.

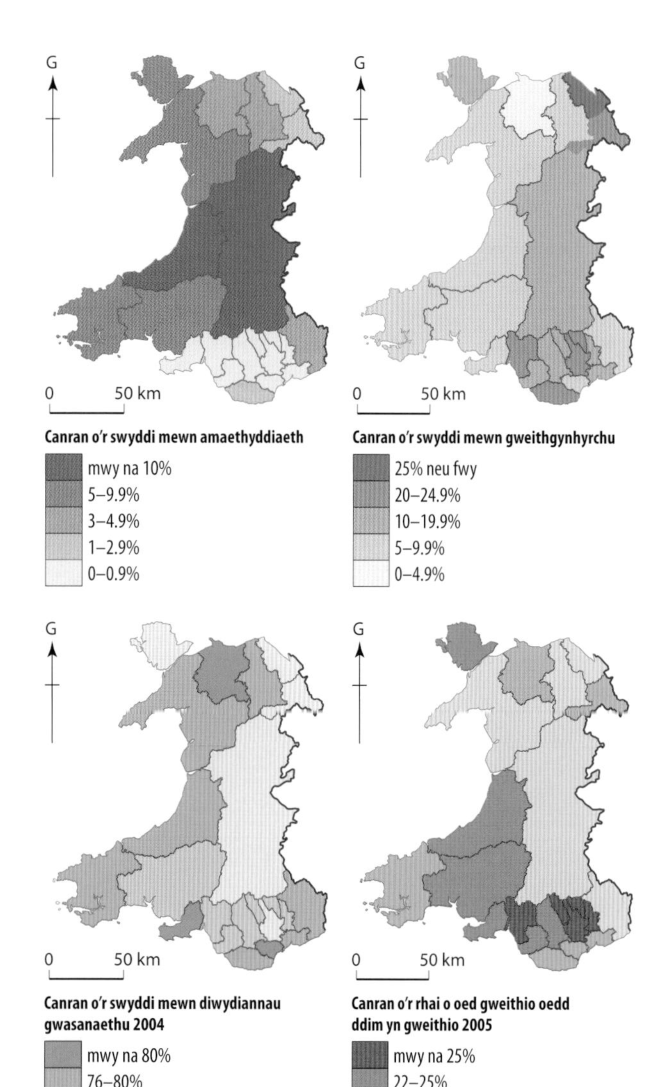

Ffigur 2 Cyflogaeth yng Nghymru

Ewch amdani!

Edrychwch ar y mapiau yn Ffigur 2 a disgrifiwch y patrymau sy'n cael eu dangos. Beth yw'r gwahaniaethau rhwng y ddau fap uchaf (swyddi mewn amaethyddiaeth a gweithgynhyrchu) a'r ddau fap isaf (swyddi mewn gwasanaethau a'r rhai sydd o oed gweithio ond sydd ddim yn gweithio)?

Beth yw dyfodol cyflogaeth yng Nghymru?

Sut a pham mae patrymau gwaith yn newid?

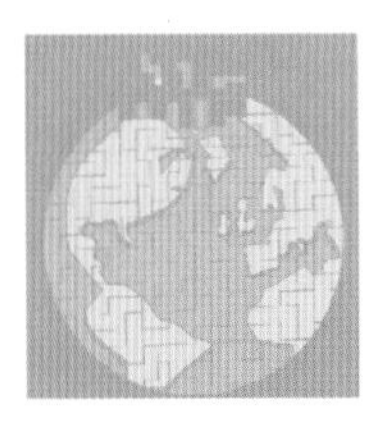

Y Pethau Pwysig

Newidiadau mewn amaethyddiaeth

- Mae amaethyddiaeth yn cyfrannu 1.2% yn unig at *GDP* Cymru ond mae'n cyflogi 60,000 o bobl yn ogystal â gwneud cyfraniad mawr i ddiwylliant a thirwedd Cymru.
- Mae amaethyddiaeth yn ddiwydiant sy'n ddibynnol a'r brisiau'r farchnad. Mae rhai sectorau yn gwneud yn well na'i gilydd mewn cyfnodau gwahanol. Er enghraifft, mae cynnydd o tua 20% wedi bod yn ystod y 10 mlynedd diwethaf mewn tir sy'n cael ei ffermio yn organig.
- Mae ffermwyr yr Ardaloedd Llai Ffafriol yn ddibynnol iawn ar gymorthdaliadau o'r UE. Mae ffermydd mynydd yn cael eu heffeithio gan daliadau amgylcheddol fel cynllun Glastir. Ffactorau eraill yw cynnydd ym mhris tanwydd a bwydydd anifeiliaid yn ogystal â chystadleuaeth dramor, sydd i gyd yn effeithio ar y diwydiant.
- Mae nifer o ffermwyr mewn ardaloedd sy'n denu twristiaid wedi arallgyfeirio i weithgareddau hamdden fel bythynnod gwyliau ac atyniadau fel beicio cwad.

Astudiaeth Achos – Folly Farm, Sir Benfro

Agorwyd Folly Farm yn 1988 yn dilyn penderfyniad i arallgyfeirio o'r diwydiant llaeth i'r diwydiant hamdden. Erbyn hyn, mae tua 400,000 o ymwelwyr yn ymweld â'r fferm 200 erw pob blwyddyn. Mae'r atyniad wedi ennill nifer o wobrau ac yn cyflogi tua 60 o weithwyr llawn-amser a thua 100 o weithwyr rhan-amser.

Cefndir

1988 – agor i'r cyhoedd gyda chyfle i weld bwydo a godro
1989 – cyflwyno gweithgareddau meysydd chwarae awyr agored
1992 – cyflwyno *go-karts*
1996 – cyflwyno'r reid gyntaf ar gyfer y ffair
2001 – Agor Theatr Follies a dechrau sefydlu sw
2004 – Agor Parc Gwlad Folly Wood
2008 – Cynnal Cynhadledd flynyddol yn ymwneud â chadw anifeiliaid
2012 – Sefydlu rhaglen addysgol ac agor mwy o reidiau newydd

Ewch amdani!

Sut arall mae'n bosib i ffermwyr arallgyfeirio? Rhestrwch o leiaf 4 ffordd – gwnewch lun bach yn eu hymyl i'ch helpu i gofio. Gallwch wneud gwaith ymchwil i'ch helpu i gasglu mwy o wybodaeth.

Newidiadau mewn diwydiant

Mae strwythur yr economi yng Nghymru wedi'i drawsnewid yn ystod y 100 mlynedd diwethaf.

- Roedd y diwydiant glo yn bwysig yng nghymoedd de Cymru ganrif yn ôl ond erbyn yr 1980au roedd y diwydiant bron â diflannu. Mae cloddio glo-brig yn parhau, e.e. Ffos-y-Fran ger Merthyr gyda sawl cloddfa glo brig arall ond mae'r cynhyrchu yn llawer llai nag oedd yn y gorffennol.
- Yn ystod ail hanner y bedwaredd ganrif ar bymtheg roedd y diwydiant llechi yn ddiwydiant pwysig yn y gogledd-orllewin. Yn 1898 roedd 17,000 o ddynion yn cynhyrchu hanner miliwn tunnell o lechi. Caewyd nifer mawr o'r chwareli mwyaf yn ystod yr 1970au.
- Ar sail adnoddau naturiol datblygodd diwydiannau trwm hyd at ail hanner yr ugeinfed ganrif. Mae gwaith dur yn parhau yn Port Talbot ond mae llawer iawn o'r diwydiannau trwm wedi cau. Mae defnyddio mwy o beiriannau sef **mecaneiddio** wedi arwain at leihad yn nifer y gweithwyr. Mae'r broses hon, sef **dad-ddiwydiannu** wedi creu problemau cymdeithasol mewn rhannau o Gymru.
- Yn ddiweddar, mae twf wedi bod mewn diwydiannau ysgafn sy'n defnyddio technoleg fodern. Maen nhw'n cael eu denu gan gynlluniau'r llywodraeth, rhwydwaith cyfathrebu, amgylchedd braf, lleoliad o fewn yr UE yn ogystal â gweithlu sydd â'r sgiliau a'r awydd i lwyddo.

Erbyn hyn y diwydiannau ysgafn yw canolbwynt economi Cymru gydag 1,500 o gwmnïau yn cyflogi tua 75,000 o bobl.

- Mae'r diwydiannau hyn yn aml yn eiddo i **gwmnïau amlwladol** fel *Amersham International*, *GE Aviation*, *Panasonic* a *Toyota*.
- Mae Cymru ymysg yr ardaloedd mwyaf blaenllaw yn y DU o ran y diwydiant ceir gyda may na 150 o gwmnïau wedi'u lleoli yma, e.e. *Ford*, *Toyota*.
- Mae Cymru bellach yn wlad flaengar o ran technoleg gyda diwydiannau fel electroneg, awyrofod (*aerospace*), peirianneg a thelathrebu.
- Mae Llywodraeth Cymru yn ceisio denu buddsoddiad newydd. Mae pob swydd newydd sy'n cael ei chreu drwy fuddsoddiad i mewn i'r wlad yn creu swyddi eraill hefyd – **effaith luosydd**.

Ewch amdani!

Mae'r diagram isod yn dangos lluosydd economaidd cadarnhaol. Gwnewch gopi o amlinelliad o'r llif ddiagram isod i ddangos effaith cwmni yn cau neu'n adleoli y tu allan i Gymru. Defnyddiwch astudiaeth achos fel sail i'r diagram.

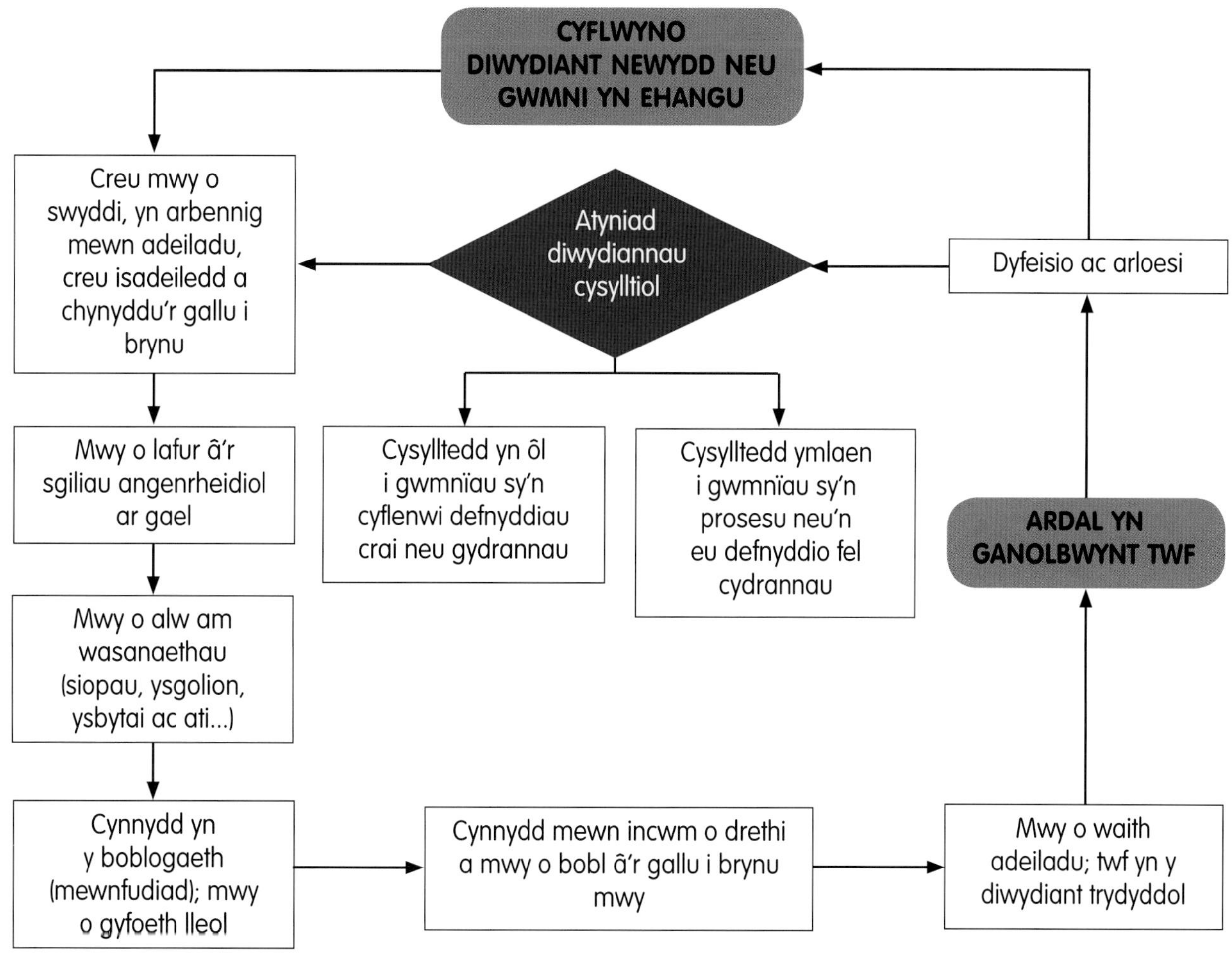

Ffigur 3 Enghraifft o luosydd economaidd cadarnhaol

Newidiadau trydyddol

Mae Cymru wedi gweld cynnydd aruthrol mewn cyflogaeth yn y sector gwasanaethu.

- Mae cynnydd mewn safonau byw wedi arwain at dwf mewn adwerthu, hamdden a thwristiaeth, e.e. *Amazon* yn agor warws mawr yn Abertawe, *John Lewis* yn agor siop fawr yng Nghaerdydd.
- Hefyd, mae cynnydd yn y canran o'r gweithwyr sy'n gweithio mewn iechyd, gwaith cymdeithasol, addysg, cludiant, bancio a gwasanaethau ariannol.
- Mae datganoli a sefydlu Llywodraeth Cymru wedi arwain at dwf mewn swyddi yn y llywodraeth.
- Mae cwmnïau gan gynnwys *BT*, *Vodafone*, *T-Mobile* ac *NTL* wedi sefydlu canolfannau galw yng Nghymru.
- Mae Cymru â diwydiant ffilm a theledu bywiog gyda'r *BBC*, *HTV*, S4C a chwmnïau annibynnol yn cynhyrchu rhaglenni a ffilmiau.

Beth yw effeithiau'r newidiadau hyn?

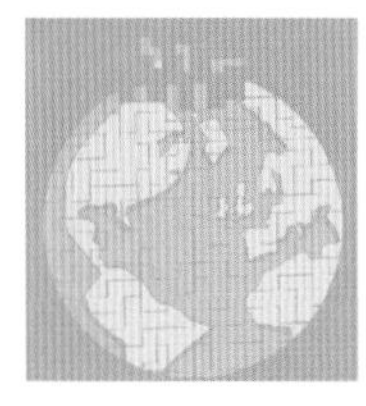

Y Pethau Pwysig

Mudo gwledig

Mewn sawl ardal wledig yng Nghymru mae'r cyflogau isel, prinder cyfleoedd swyddi a phrinder cyfleusterau adloniant wedi arwain at bobl yn gadael. Mae hyn yn arbennig o wir am y bobl ifanc a'r mwyaf abl. Canlyniadau hyn yw:

- poblogaeth wledig sy'n heneiddio
- siopau lleol yn cau a lleihad mewn gwasanaethau
- rhai teuluoedd gwledig yn teimlo'n unig
- nifer o ysgolion a chlinigau lleol yn cau gan eu bod yn ddrud i'w cynnal.

Mae'r problemau hyn yn gwaethygu gan fod nifer o'r tai a'r tyddynnod gwledig yn cael eu gwerthu fel ail gartrefi ar gyfer pobl gyfoethog o'r dinasoedd sy'n gallu talu mwy amdanyn nhw. Yn aml mae'r bobl sy'n prynu'r ail gartrefi yn aros am gyfnodau byr a dydyn nhw ddim yn cyfrannu llawer i'r gymdeithas leol.

Dad-ddiwydiannu cymoedd de Cymru

Mae newidiadau yn strwythur cyflogaeth y cymoedd wedi arwain at y canlynol:

- Lleihad yn nifer y swyddi mewn mwyngloddio, gweithgynhyrchu a gweolion a chynnydd yn nifer y swyddi mewn gwasanaethau.
- Cynnydd mewn diweithdra a phroblemau cymdeithasol.
- Mae Llywodraeth Cymru wedi rhoi cymorthdaliadau a benthyciadau i geisio adfywio'r cymoedd.
- Sefydlwyd stadau diwydiannol fel Trefforest i ddenu diwydiannau i'r ardal.
- Gwella ffyrdd fel yr A470 a'r A419 a gwella hygyrchedd.

Coridor yr M4 a thwf diwydiant

Mae'r rhan fwyaf o ddiwydiannau newydd de Cymru wedi'u sefydlu ar hyd coridor yr M4. Mae hygyrchedd at nwyddau crai yn llai pwysig i ddiwydiannau technoleg uwch ond mae ystyriaethau cyfathrebu'n bwysig. Bellach, mae ffactorau fel amgylchedd ac ystyriaethau iechyd a hamdden yn cael eu hystyried yn ogystal â sgiliau'r gweithlu, e.e. dinasoedd prifysgol Caerdydd ac Abertawe.

Mae nifer o'r cwmnïau sydd wedi sefydlu yng Nghymru yn gwmnïau amlwladol. Mae globaleiddio wedi dod â budd i Gymru er nad ydy pawb yn cytuno â hyn. Yn eu barn nhw maen nhw'n swyddi sydd â chyflogau isel tra mae'r swyddi sydd â chyflogau uwch mewn rheoli ac ymchwil wedi'u lleoli yng nghartref y cwmni mewn gwlad arall. Fodd bynnag, mae twf diwydiant newydd ar hyd coridor yr M4 wedi arwain at fewnfudiad o bobl, adeiladu tai newydd a chynnydd mewn cyfoeth.

Ewch amdani!

Dewiswch gwmni amlwladol sydd wedi buddsoddi yng Nghymru. Gwnewch lun o'i logo ar ddarn o bapur A4. Rhestrwch 3 mantais a 3 anfantais y buddsoddiad hwn.

Astudiaeth Achos – Twf twristiaeth yng ngogledd Cymru

- Mae gogledd Cymru â llawer iawn o atyniadau ar gyfer teuluoedd sy'n cynnwys parciau gwledig, trenau stêm, sw a digwyddiadau sy'n cynnwys digwyddiadau diwylliannol, sioeau amaethyddol a dyddiau o hwyl i'r teulu.
- Mae'r ardal yn cynnig amrywiaeth o weithgareddau sy'n cynnwys cerdded, beicio, pysgota, golff a chwaraeon dŵr.
- Yn y gorllewin mae Eryri yn denu dringwyr a cherddwyr tra bod Llŷn yn denu hwylwyr a'r rhai sydd am syrffio.
- Yn y gogledd mae Ynys Môn yn cynnig arfordir 125 milltir o hyd. Mae'r ynys hefyd â nifer mawr o safleoedd hanesyddol. Yn y dwyrain mae Bryniau Clwyd a threfi marchnad fel Rhuthun a'r Wyddgrug.
- Mae cyrchfannau'r arfordir yn cynnig amrywiaeth o atyniadau gan gynnwys theatrau fel Theatr y Venue yn Llandudno.

Ewch amdani!

Ysgrifennwch adroddiad ar eich tudalen *Facebook* neu *Twitter* sy'n disgrifio effeithiau datblygiad y diwydiant twristiaeth ar gymunedau gwledig gogledd-orllewin Cymru.

Pa newidiadau sy'n debygol o ddigwydd yng nghyflenwad egni a'r galw amdano yng Nghymru?

Sut mae Cymru yn cyflenwi anghenion egni y wlad?

Adnodd naturiol: rhywbeth sy'n dod o'r ddaear ac sy'n ddefnyddiol i bobl.

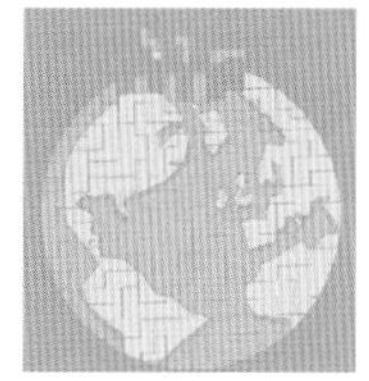

Y Pethau Pwysig

Mae'r galw am egni wedi tyfu'n sylweddol oherwydd cynnydd mewn poblogaeth, teithio, adloniant ac offer sy'n defnyddio trydan.

Mae modd cyflenwi egni o ffynonellau **adnewyddadwy** neu **anadnewyddadwy**:

- Mae **ffynonellau adnewyddadwy** yn cynnwys **pŵer trydan-dŵr**, **solar**, **gwynt**, **llanw**, **geothermol** ac **egni'r tonnau**. Bydd y ffynonellau yma'n parhau am byth.
- Mae **ffynonellau anadnewyddadwy** yn cynnwys **glo**, **olew** a **nwy**. Ffurfiwyd yr adnoddau naturiol hyn filiynau o flynyddoedd yn ôl. Maen nhw'n cael eu galw yn danwyddau ffosil. Fe fyddan nhw'n gorffen ymhen amser.
- Mae **pŵer niwclear** yn egni anadnewyddadwy.

Mae Cymru yn cynhyrchu'r rhan fwyaf o'i hegni mewn pwerdai sy'n defnyddio tanwydd ffosil anadnewyddadwy. Mae tua 3% yn dod o ffynonellau adnewyddadwy. Trydan yw'r ffordd fwyaf cyfleus i ddosbarthu egni o amgylch gwlad fynyddig fel Cymru. Mae nifer o gymunedau gwledig heb eu cysylltu â'r cyflenwad nwy.

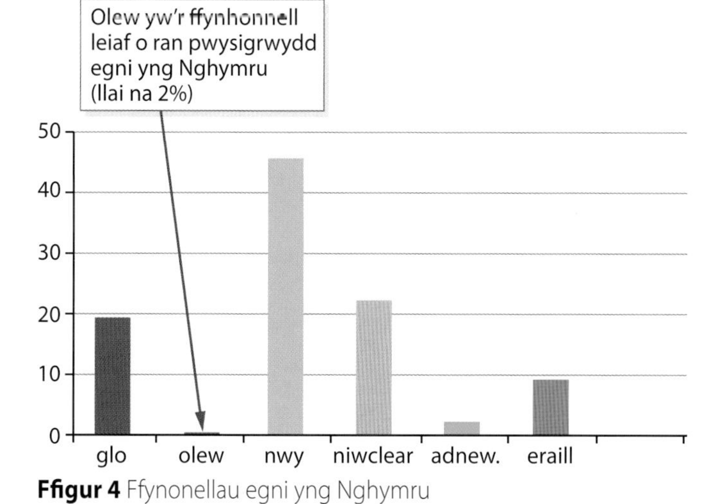

Ffigur 4 Ffynonellau egni yng Nghymru

Ewch amdani!

Disgrifiwch y graff yn ffigur 4 drwy ychwanegu labeli disgrifiadol. Bydd angen i chi roi o leiaf ddau ddisgrifiad eich hunan. Gallwch ddefnyddio'r enghraifft sy'n cael ei dangos fel sail i'ch disgrifiadau.

Pa newidiadau sy'n debygol o effeithio ar ffynonellau egni a'r galw am egni yn y dyfodol?

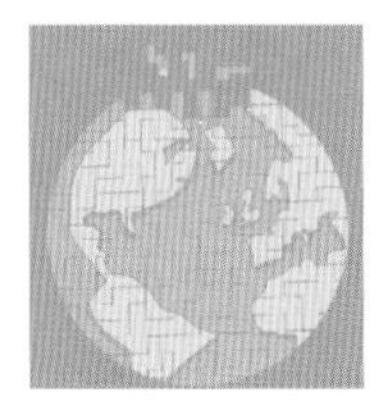

Y Pethau Pwysig

Mae defnyddio tanwydd ffosil i gynhyrchu trydan yn niweidio'r amgylchedd. Nid yw'n ddull cynaliadwy ar gyfer y dyfodol gan fod y cyflenwad yn dod i ben. Mae CO_2 sy'n cael ei greu wrth losgi tanwydd ffosil yn cael ei gysylltu â chynhesu byd-eang. Yn 1997, fe arwyddodd llywodraeth Prydain **Gytundeb Kyoto** lle cytunwyd i leihau allyriadau CO_2 yn yr atmosffer erbyn 2012. Mae Llywodraeth Cymru hefyd wedi gosod targed i gynyddu'r defnydd o egni adnewyddadwy. Y nod yw lleihau nwyon tŷ gwydr bob blwyddyn o 2011 ymlaen.

Mae gan Gymru sawl ffynhonnell bosib o egni adnewyddadwy:

- **Gwynt** – mae'r prifwyntoedd o'r de-orllewin yn cynnig potensial da i ddatblygu'r ffynhonnell hon. Mae'r melinau gwynt yn cael eu codi ar y bryniau neu allan yn y môr, e.e. Gwynt y Môr ger arfordir gogledd Cymru.
- **Biomas** – plannu coedwigoedd a chnydau egni fel helygen.
- **Pŵer trydan-dŵr** – er bod Cymru yn wlad â nifer o afonydd, prin yw'r safleoedd y gellir eu datblygu ar gyfer cynhyrchu egni'n fasnachol. Un o'r cynlluniau mwyaf yw Dinorwig ger Llanberis. Mae nifer o gynlluniau llai fel Ffestiniog ger Blaenau Ffestiniog a Chwm Rheidol ger Aberystwyth.
- **Y môr** – ffynhonnell egni sy'n dangos cryn botensial i Gymru. Byddai adeiladu **bared** ar draws moryd Hafren yn gallu cynhyrchu cymaint â 5% o anghenion egni Prydain.

Astudiaeth achos – Pŵer y Gwynt: Gwynt y Môr, arfordir gogledd Cymru

Mae egni'r gwynt yn bwnc llosg. Er ei fod yn egni adnewyddadwy sy'n datrys problem tanwydd ffosil mae rhai'n dadlau bod yna anfanteision. Mae rhai yn dadlau bod y tyrbinau gwynt yn edrych yn hyll a'u bod yn swnllyd a bod angen peilonau i drosglwyddo'r trydan ar y tir. Fferm wynt North Hoyle gerllaw arfordir Cilgwri oedd fferm wynt gyntaf Cymru yn y môr sy'n cynhyrchu 60 MW. Fel arfordir gogledd Cymru mae'r amgylchiadau o ran gwynt yn ddelfrydol. Bellach mae nifer o ffermydd gwynt newydd wedi'u sefydlu oddi ar arfordir gogledd Cymru. Mae Fferm Wynt gerllaw Rhyl – Rhyl Flats – bellach yn cynhyrchu 90 MW tra bydd Gwynt y Môr yn cynhyrchu 576 MW erbyn i'r cynllun gael ei gwblhau. Dechreuwyd y gwaith adeiladu yn 2011 a bydd yn cael ei gwblhau yn 2014. Bydd 160 tyrbin yn cynhyrchu trydan ar gyfer 400,000 o gartrefi. Hon fydd fferm wynt fwyaf Cymru.

Ewch amdani!

Astudiwch y siart ar dudalen 95. Dewiswch ddwy ffynhonnell wahanol o egni (un sy'n adnewyddadwy a'r llall yn anadnewyddadwy) cyn cwblhau'r tabl isod.

Ffynhonnell egni	Beth yw'r manteision a'r anfanteision yn eich barn chi?		Beth yw barn eich rhieni?		Beth fydd barn y cynghorydd lleol?	
	O blaid	Yn erbyn	O blaid	Yn erbyn	O blaid	Yn erbyn

Mae rhai yn dadlau bod angen i ni fabwysiadu polisïau gwell i arbed egni. Er enghraifft, mae llywodraeth Prydain yn ceisio ein denu i ddefnyddio ceir sy'n arbed tanwydd ac sy'n lleihau llygredd.

Ewch amdani!

Edrychwch o gwmpas eich tŷ. Ystyriwch sut ydych chi'n byw eich bywyd pob dydd yn y cartref ac yn yr ysgol. Allwch chi feddwl am bethau sy'n bosib eu gwneud i arbed egni? Dyma ddau fel man cychwyn i chi:

1. Tynnu'r plwg allan o'r soced – hyd yn oed pryd mae'r pŵer wedi cael ei droi i ffwrdd.
2. Defnyddio blanced ychwanegol ar y gwely a rhoi'r gwres yn yr ystafell i ffwrdd.

Math o egni	Ffynhonnell	Manteision	Anfanteision
Gwynt	Mae tyrbinau gwynt (melinau gwynt ein dyddiau ni) yn troi gwynt yn drydan.	Gan amlaf wedi'u crynhoi gyda'i gilydd mewn ffermydd. Potensial i gynnig egni diderfyn.	Rhai yn gwrthwynebu gan ddweud eu bod yn anharddu'r wlad. Maen nhw'n dibynnu ar y gwynt ac felly ddim yn cynhyrchu trydan yn ddi-dor.
Llanw (tonnau)	Mae symudiad y llanw yn troi tyrbinau. Mae bared llanw (math o argae) yn cael ei godi ar draws aber afon ac yn gorfodi'r dŵr i lifo trwy fylchau yn y wal.	Potensial i gynhyrchu egni ar raddfa fawr. Mae baredau llanw hefyd yn gallu cael eu defnyddio fel pontydd ac i osgoi gorlifo.	Mae adeiladu bared yn ddrud iawn. Dim ond ychydig o aberoedd sy'n addas. Mae'n bosib bod effaith negyddol ar fywyd gwyllt.
Pŵer trydan-dŵr	Egni yn cael ei harneisio o symudiad dŵr mewn afonydd, llynnoedd ac argaeau.	Creu cyflenwad dŵr yn ogystal â chyflenwad egni.	Drud i'w adeiladu. Gallu arwain at foddi dyffrynnoedd a difa cymunedau a'r tirwedd. Mae codi argae yn cael effaith ecolegol sylweddol.
Biomas	Llosgi defnydd organig i roi egni, e.e. gwres neu drydan. Enghraifft yw hadau olew rêp i wneud tanwydd ar gyfer peiriannau diesel.	Dull parod a rhad o gynhyrchu egni. Os ydyn nhw'n cael eu hailblannu yna mae'n gallu bod yn ddull adnewyddadwy tymor hir o gynhyrchu egni.	Wrth losgi biomas mae'n rhyddhau llygredd gan gynnwys nwyon tŷ gwydr. Ond mae'n ddull adnewyddadwy os yw'r cnydau yn cael eu hailblannu. Maen nhw hefyd yn gallu defnyddio tir amaethyddol gwerthfawr.

Astudiaeth Achos – Bared llanw moryd Hafren

Manteision	Anfanteision posibl
• Ffynhonnell o egni gwyrdd sy'n helpu'r DU i gyrraedd ei thargedau egni adnewyddadwy. • Oes hir i'r cynllun – dros 120 o flynyddoedd. • Amddiffyn rhannau o foryd Hafren sy'n cael ei effeithio gan y tonnau'n hyrddio o'r môr ac yn boddi'r tir. • Ffordd newydd a/neu gyswllt rheilffordd newydd ar draws y bared. • Cynnig dŵr tu ôl i'r bared fyddai'n addas ar gyfer gweithgareddau hamdden. • Helpu'r economi lleol – gyda'r gwaith adeiladu yn y tymor byr, twristiaeth a chreu isadeiledd (*infrastructure*) gwell yn y tymor hir. • Potensial i gynhyrchu 5% o gyflenwad trydan y DU.	• Byddai angen addasu dulliau gwarchod ecosystemau sy'n bodoli ar hyn o bryd. • Ardaloedd eang o diroedd llaid yn cael eu colli gan ymyrryd ar fywyd yr adar. • Mae'n bosib y byddai'n rhwystro'r pysgod rhag mudo i fyny'r afon. • Mae'n debygol o greu siltio mewn rhai ardaloedd ac erydiad arfordirol mewn ardaloedd eraill. • Byddai'n rhaid i longau ddefnyddio lociau gan ychwanegu at y gost. • Ailasesu beth fyddai'n digwydd i'r arllwysiad diwydiannol i Afon Hafren, e.e. Avonmouth. • Effaith andwyol ar dirwedd yr ardal o ran sut mae'r ardal yn edrych. • Byddai angen cyflenwad enfawr o goncrit. Mae concrit yn cynhyrchu llawer o CO_2 (nwy tŷ gwydr) yn y broses gynhyrchu.

Ewch amdani!

1 Aroleuwch y tabl uchod gan ddefnyddio coch ar gyfer arweddion cymdeithasol, du ar gyfer arweddion economaidd a gwyrdd ar gyfer arweddion amgylcheddol.

2 Wedi i chi gwblhau'r gwaith ewch ati i geisio dwyn i gof y wybodaeth drwy ailysgrifennu'r arweddion ar ddarn arall o bapur. Cadwch at yr un lliwiau a gwnewch dabl, gan drefnu'r arweddion yn ôl y tair adran wahanol. Ychwanegwch luniau i'ch helpu gyda'ch adolygu.

Atebion o dudalen 6

A	B	C	Ch	D	Dd	E	F	Ff	G	Ng
6	10	3	4	11	1	7	9	5	8	2